こちら葛飾区亀有公園前派出所⑫

JN242204

（庫

治

こちら葛飾区亀有公園前派出所⑫

目次

江戸っ子
すし講座の巻

パパパパッ

ぜいぜい
はあはあ
どうしたんです先輩？

署に待ちかまえている借金とりの魔手からやっと逃げてきたんだ
毎月大変ですね

今日は30人くらいいたんだぞ　まるで人気アイドルのテレビ局入りみたいだよ
人気があっていいじゃない

わしの血と汗と涙の結晶を無事ここまでもってこられてじつにうれしい！
感動で胸がいっぱいだ
うっ
うっうっ

そうだおまえたちに晩メシをおごってやろう
えっ

いいですよ汗と涙の結晶は大切に使ってください!
いいから!たまには後輩のめんどうもみてやらんとな!
いいじゃないごちそうになりましょうよ!
うーむしかし……
御徒町駅前
スクランブル交
なじみのすし屋があるんだ!そこへいこう
やはりすしが一番おいしい!
あれ
回転ずし
残念!今日は休みか!
本日休業
ひと皿タッタノ百円

もう一軒いきつけの店があるそっちへいこう!

くそ!!ここも休みか!
いつも ニコニコ
こどもずし
200円より
お休みでチュ!

先輩ぼくたちラーメンでもいいですよ
そんなしみったれた事を いうなすしをおごってやる

あそこにもあるわよ
なに!

ジャーン!
な…なるほど
最高級江戸前ずし
大尽ずし

な…なかなかよさそうな店だなうん!
ねっあそこにしましょう!

そうだな！
たまには
こういう店も
いいだろ！
ガラ
今日は
給料日
だからな！
はっは

らっ
しゃい！

どうぞ
こちらの
席へ！
なかなか
こぎれいな
店だな
うむ！

さあて！
何に
するかな
！
上にぎり時価
とろ時価
うに時価
えび時価
いか時価
たこ時価
かい時価
あなご時価
しゃこ時価
さば時価

何から
にぎります
お客さん！
そうだな
まず
手始めに
…………

のり巻もらおうか！活きのいいやつっ！
へへい！
しゃこ時価
あなご時価
とろ時価
上にぎ

私は何にしようかな…
かっぱ巻なんかいいんじゃないか！
ズ

ウニのおいしいのが入ってますよお嬢さん
じゃあそれにするわ！
ブッ

どうしたの？
いやなんでもない！
ゴホゴホ

いいトロがありますぜお客さん!!
じゃあトロ！

こらっオヤジ!!

本人にきめさせろよ！なんで高い物ばかりすすめるんだよ！
別に高いからすすめてるんじゃねえよネタがいいからそういってるんだ

じゃあ かんぴょうや キュウリも すすめたら どうなんだ
むちゃ いうなよ

気のきかねえ店だよ まったく!
ズズー
ピク
ぬるい お茶だ! まずい!

おい 三吉!
熱い あがり もって こい!

すいやせんね お客さん
江戸っ子が こんな茶 飲めるかよ!

へい おまち!
ゴトン

うーむ まだ 少し ぬるいな!
ズズ
でがらしの 安い茶だから 全然 味が しねえな まずい!

そうだよ! せめて このくらいじゃ ねえとな!
どうぞ 熱い うちに!

へい！ネタの中で一番 安いのり巻おまち！

なに これ？かんぴょう一本しか入ってないの？
のりもひからびてるしこんなケチくさいのり巻をよく 客にだせるなァ

お客さんまちがえました！
そうだろオレもそう思った！

こちらがのり巻です！
ずん

やはりのり巻はこのくらい大きくないとね！
そうですとももう2～3本まきましょうか？

もっと頼んでいい？
もちろんどんどんいきなさい
アワビなどどうですお嬢さん
じゃあアワビね！
ピクピク

わしはタコをもらおうか！
へい！

はいタコ！
こりゃびっくり！

こんなうすいタコ初めてみたよ へえ——っタコのスライスかむこう側がみえる
こりゃ栄養失調のタコだな！古いネタだ！最悪!!

ピリ
ピリ
よく客にだせるなあ どういう神経してるのか一度 顔をみてみたいよ

お客さんまだ タコの続きがありますから
えっ

ひょっとしてぼくのひとりごときこえたかな…まいったな！
それはほんの前座でして！
さば時価
しゃこ時価

ゴトッ
へい タコおまち！

きゃあ！生きてるわ!!
こりゃ活きがいいな
こういうのは新鮮なうちにたべた方がいい！
少しよう動いてたべにくいが……
うちのすしは活きのよさで天下一品！どうぞたべてください！
ガブッ
ブッ
ぐわっ
タコが逃げた！
つかまえて！早く！
ひゃあーっ
スミをはきやがった！
うわっ

ちくしょう!!
夏の交通安全週間

あのすし屋に3万円もとられたちくしょう

変な物ばかり注文するからよ
そうですよ

だって！すし屋のオヤジ高い物ばかりすすめやがるから悪いんだよ！
両ちゃんも意地はるから結局 高くついちゃったじゃない

そこが頭くるんだよ今度 会ったらタダじゃおかんぞ

あっ!!
ぬっ

本当に
警官だったん
だね！
こりゃ
驚いた！
なんで
こんな
ところに
くるんだよ
ガタッ

日本は　よほど
警官が
足りないらしいな
われわれの
血税が　こんな
ところに
使われて
いたとは……

大きな
お世話
だ！
おっ

ご通行中の
皆さん！
何も
していないのに
警察官が
私の首を
しめております

市民を守るべき
警察官が
このような暴力
行為を　するなど
法治国家として…
こら！こら！
もう　手を
はなしてる
だろ！
静かにしろ！

じつは私 道を聞きに きたのですよ！
ほかの交番で きけば いいだろ！

ご通行中の皆さん！ この警察官は道案内すらしてくれません こんな事が許されていいのでしょうか！
わかった わかった

なかなか根にもつタイプだな おまえ！
とんでもない さっぱりしてるよ

あぶない！

もう少しで自転車にひかれるところだ！ いやあ 危機一髪！
わざとやったな！ くそ〜〜っ

あんなところで まだやってるわ あのふたり！
ふたりとも 執念深いからなあ！

市民を助けるのは警官の務めですから！
シャキーッ
あぶない!!
ドンッ
ツ
ガッ
いやあ危機一髪でしたよ！
どこが危機一髪だ！あてやがっててめえ！
皆さんききましたかこの暴力的な言動！ヤクザ顔負け！
こいついちいちマイクで叫ぶんじゃない！
おっと次は暴力です！痛い！痛い！助けてくださいだれか110番をよんでくださ〜〜〜い
CANTER
JUN

せっかく
おごってやると
いってんだろ！
いいですよ
前に
ごちそうして
もらったから…

じゃ
わしひとりで
あのすし屋へ
いってくる
からな！
カラン
カラン
どうぞ
遠慮
なく！

あんな
スタイルで
いっしょに
いったら
大変だよ
両ちゃんを
おこらすと
トコトンやる
主義だからね

大尽ずし

へえ
それで
こらしめて
きたのか？
あたぼうよ
だまって
られっかよ

ガラッ
うすっ

いよーっ マスター ボトル だしてよ
うちは ボトルキープ やってませんよ

それじゃーっ まず 牛丼の 並みひとつ
玉子 つけて くれる

お客さん 牛丼屋じゃ ないんですよ ここは……
えっ!? 本当?

ダダダダダ
ガッ
ガッ

本当だ 悪い 悪い
ちゃんと すし屋って かいてある ははは……

じゃあ カレーライスの 大盛りね！
三吉 この人は 熱い茶が 好きなんだぞ
そうそう まったく 気のきかない 店員だよ
熱いから 気を つけて くださいよ
おっと
ぎゃあっちいっ
バシャッ
大丈夫ですか？ だから 気を つけてと いったのに！
なーに これしき 大丈夫だよ
この前 いっしょに たべにきた 友だち 帰りぎわ 食中毒で 死んじゃってさ 3人とも
オレは あの時 たべなかったから 助かったけど それと比べれば 熱いくらい なんともないよ
おかん じょう して！
こっちも たのむよ

皆さん あの人 ウソ いってるんですよ
まだ いいじゃ ありませんか！
用事 思いだしてね また くるよ

ちょうど あんたのと 同じマグロを たべてたんだよね 色も その時のと そっくり

ガツン
へい おまち！

何するんだよ！
できましたよ かれいライス！

こ これが カレーライスか？
そう！この店の かれいライスの 大盛り

どうぞ めしあがって ください
う うむ
こりゃ うまそうだな……

うちの かれいライス たのむなんて 通ですね！ 江戸っ子でしょう！
バリ
パク パク
モグ バリ
おう！江戸っ子は こいつに 目が ねえんだ うまい！

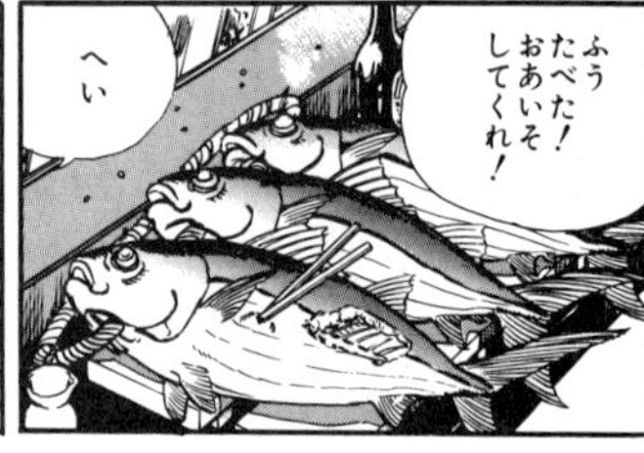

★週刊少年ジャンプ1985年42号

シルバー・ツアーの巻
敬老会でハワイにいくんだって?
COFFEE
山田商会
高田商店

豪気な話だなあやかりたいね！
それがたのんだ旅行会社がインチキなところだったんだ

毎月の積み立てた旅費全部もってドロンだよ
せっかく楽しみにしてた敬老会の人たちがっかりしちゃってさ！

そりゃ悲惨だな！
だから町会長のわしが敬老会の人たちを日光にでも招待しようと予算の打ちあわせにいくところなんだ。

町会でハワイにいかせてやりゃいいじゃないか！
無理だよ町会費じゃとても20人もつれていけないよ！

そうだわしのしってる旅行会社のやつにたのめば安くいけるぞ
本当かい!?

わしにまかせろ！安くハワイへいかせてやるから！
大丈夫かね両さん！

ひとり
一万五千円じゃ
無理!?
だから そこを
たのんでるん
じゃねえか!
大辞典

一万五千円じゃ
熱海も
いけないだと
!
おまえの力で
なんとかしろ!!
20人ハワイへ
つれてって
やれ!!

わしが
めんどうを
みるといった
以上 もう
あとへは
ひけないんだぞ
わかってるのか
!!
おい!
山下
きいてる
のか……
おい!

2泊3日でも
いいから……
あっ

くそ!
きりやがっ
た!!
ガチャ

むちゃですよ
どう安く
みつもっても
最低ひとり
15万円以上は
かかりますよ
なにっ
海外旅行は
そんなに
高いのか!?

ひとり
一万五千円で
ハワイ旅行へ
いこうと
してたの
ですか?
そう
だよ

そういえば わしが アメリカへ いった時は 全部 署がだして わしは タダで いったんだ
うぐむ そんなに 高いのか…
先輩が ひきうけたの ですか？
15万で20人と いうと全部で 300万円かあ すごいなあ
もちにげ したやつの 気持ちが わからんでも ないいな
先輩 ぼくの島に 敬老会の 人たちを 招待しま しょうか？
飛行機で 3時間ほどで つきます 南国の島で とても のんびり できると 思いますよ
本当か いいなあ
じゃ さっそく 連絡とって みます
しかし なあ！
ハワイに つれてくと いった からな！
ワイキキビーチ そっくりに 作りかえられ ますよ
いや 好意は ありがたいが わしが ひきうけた 以上 わしの力で なんとかする
ハワイを もっと 日本の近くに もってこられりゃ いいんだが… 三宅島の となりにでも ……
ひょっこり ひょうたん島 みたいに うかんでりゃ 運べるのに くそ！

なんとかするといってもー万五千円でどうしようというのかな?
不可能を可能にする人だから大丈夫なんじゃない
麗子おまえちょっと協力してくれないか
ええいいけど…

旅行当日
ハワイゆきの夢がかなってよかったのう徳兵衛さんや
いやあまったくこれも あのお巡りさんのおかげじゃよ
酒はワンカップ小結
高田商店
(03)-890-0000

しかし本当に一万五千円でハワイにいけるかね?
警察官になる前に旅行会社に勤めてたから安く旅行ができるそうだよ
はあーいみなさんおまたせ!

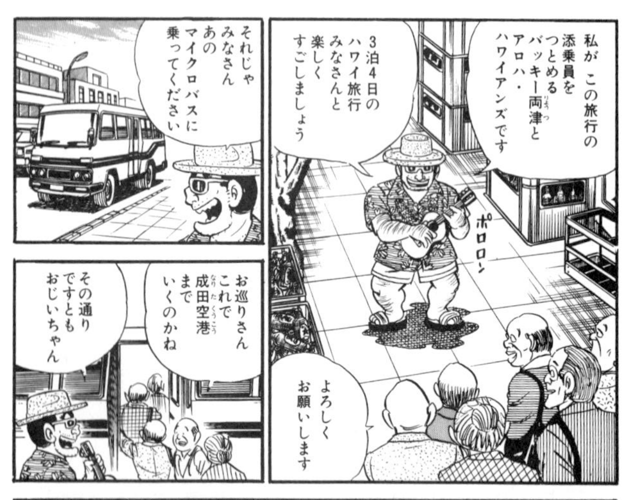
私が この旅行の 添乗員を つとめる バッキー両津と アロハ・ハワイアンズです
3泊4日の ハワイ旅行 みなさんと 楽しく すごしましょう
ポロロン
それじゃ みなさん あの マイクロバスに 乗ってください
よろしく お願いします
お巡りさん これで 成田空港 まで いくのかね
その通り ですとも おじいちゃん

ブロロ・・・

新東京国際空港
はい! 空港に つきました
ブオオッ
パラッ
航空博物館
展示
空港

それでは
こちらの
ジャンボ機に
お乗りください
!
ジャンボって
プロペラ
だったっけ?
747じゃんぼ

整備士の
みなさんも
ご苦労様
です!
いや
お座席に
つきましたら
シートベルトを
おしめください
おい
今のうちに
車を
セット
するんだ
忙しいな
こりゃ
どう
やるんだ
これは?

おじいさま こうですわ！
あっ そうか！ どうも
きれいな バスガイドさんだな 右吉！
バカ！ あの人は コンパニオンガールって よぶんだ
私が 機長の 逆粉舎矢太郎です よろしく！
ハワイまでの 飛行時間は 6時間を 予定しております
機長さん お巡りさん よんでくれんかね！
ドキッ
はい…わかりました！
くそ あのじじいめ！

はあーい！ バッキー両津です！ 何か用ですか？
機長さんに 飛行時間を ききたいんだけど……
ポロン
機長さーん 時間ききたいんだって！
はい 機長です 6時間の 予定です
こっちに でてきて くれんかね

気流の具合で多少かわりますが6時間ですよ
お巡りさんパスポートはどこでみせんのかね？
パスポートなんか必要ないってははは！
みなさんちゃんとベルトしめてくださいよははははは
こんなタイコもちみたいなマネやってられるかまったく！
麗子出発だ出発！
当機はまもなく離陸します！シートベルトをおたしかめください

ブロロオ！

ゴオオッ

あんなことで
全員を
だませる
つもりかね？
解体中の
機体　貸して
ほしいと
いったのは
ああするためか！
ブロロ

両ちゃん！
ばれないかしら
このゆれは
とても
飛んでるとは
思えないわよ
大丈夫！
みんな年よりだし
飛行機に乗るのは
初めての連中だ！

あっ
いけない
！

お客様
窓を　あけると
太陽光線が
目に悪いですから
あけないで
くださいね
そうかね
！

ガタ
ガタ
ガタ

うわっ
グラ
グラ
ひゃあ
ーっ

機長の
逆粉舎です
ただ今　気流の
悪いところを
通過してます
グラ
雲の上へ
でますと
おちつき
ますので
ごしんぼう
ください
グラ
グラ

麗子！メシを配れ！心を たべ物に集中させとけ
はい！
機内食の時間です お酒の希望の方は 申しでてください
こりゃおいしそうだ
おい もっと 静かに走らんか 飛行機らしく走れ！
はい！わかりました でも 道路こんでますからね
あら また止まった
キィ…
両ちゃん さっきから 止まってばかりじゃない！
しようがないんだよ 渋滞なんだ
飛行機が渋滞してるのかい？
バカなこといってちゃこまるよ おじいちゃん ははは
信号まちが…いや むかい風の問題で 多少 止まる感じをうけますが ジャンボは これが常識！
たった今 日付け変更線を こえました 時計を19時間もどしてください

マンタンにしてくれ!
ははい!
GAS
747じゃんぼ

ガヤ
ガヤガヤ
みんな外をみたいと騒ぎだしたわよ
ようし例の手でいくか……

合図したら左の窓からあけさせろいいな
わかったわ!

あと数10分でこの機はハワイ諸島に到着します
ただ今上空より無数にならぶ小島がごらんになれると思います

ピー
OKね!

左にたくさんの島がみえます

おおすごい!

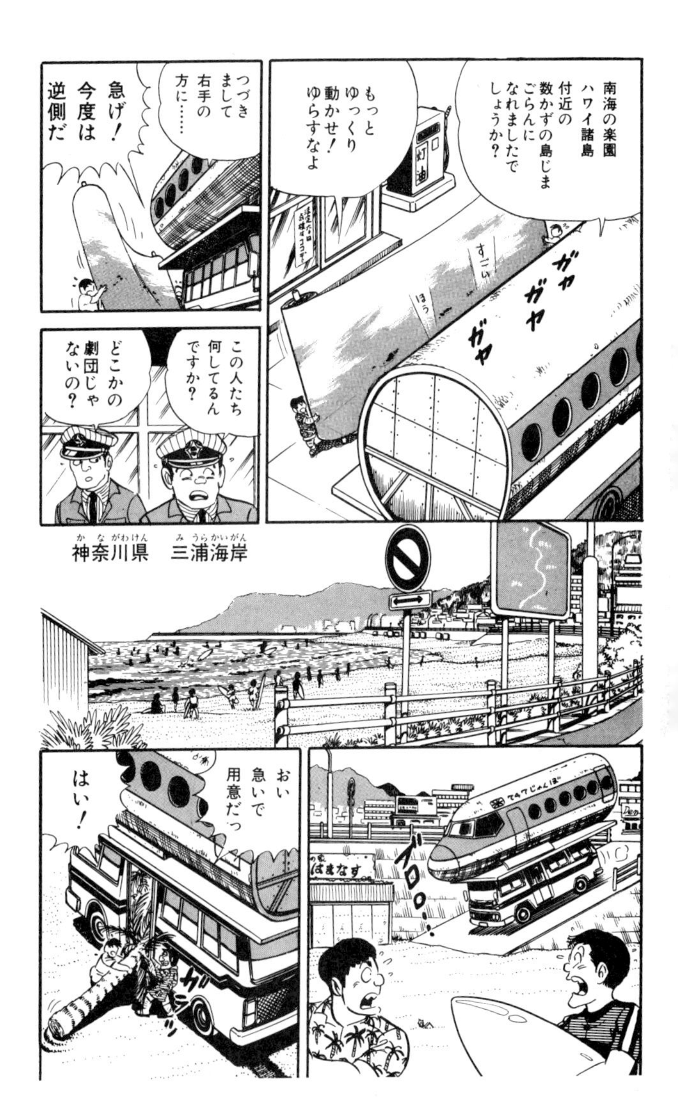
南海の楽園ハワイ諸島付近の数かずの島じまごらんになれましたでしょうか？
もっとゆっくり動かせ！ゆらすなよ
ガヤガヤガヤ
すごい
ほう
つづきましては右手の方に……
急げ！今度は逆側だ
この人たち何してるんですか？
どこかの劇団じゃないの？
神奈川県　三浦海岸
おい急いで用意だっ
はい！

てめえら
みてんじゃねえ
あっち
いけ!
サーファーめ
ちれ!
えー と………
タラップの
用意が
できたそう
ですので
降りて
ください
ここで
私も
着がえないと
大変ねえ
勝手に
おりて
いいんかね
いいんじゃ
ないの!
あっ
本当に
ハワイだ
!
すごい!
すぐ
海岸とは
さすが
アメリカだっ
HAWAII
アローハ!
みなさーん
早く
おりてきて
ください
けっして
うしろを
ふりむかないで
そのまま
ハイ!
ウエルカム
ハワイ!
うひょう
——っ

ねえちゃん さっきのスチュワーデスにそっくりだな
アイドン スピーク ジャパニーズ ソーリー
ブロロ
はまなす
あれ?
今 スペースシャトルみたいな車が……
おばあさん長旅で疲れてるんだよ! 他言しないように!
暑いと思ってたがけっこう寒いねハワイは…
残念ながら今 ちょうど雨季でね きのうまでは30度あったんだけどね!
あそこにみえるのが有名なダイヤモンドヘッドです
ガヤ ガヤ
江の島みたいな形してるな
そしてこれがカメハメハ大王の像ね…… そう かいてあるでしょう!
かめはめは
パシャ
パシャ
ハワイの王様はチョンマゲをしてたのか?
写真をとろう!

ガイドブックとだいぶ ちがうみたいだな
この本古いですよ戦前のですよ!
戦後あのように直されたんです ほんとと!
ビリッ
サッ
ハワイには日本人が多いんですねお巡りさん!
近ごろは気楽にこられるようになったからね日本人旅行者はどの国いっても多いですよ!
ガヤ
ガヤ
でも 日系人も多いですよあの人みたいにちょっと話してきましょう
オーッアロハァーッ
テレビジョン
オーッパイナップル!!
イエスゲイシャハラキリハハハ
エルビスプレスリーオーイエイ
キャー
日系モンゴル人のアグネス吉田さんだって!どっから みても日本人みたいだびっくりしちゃうよははは
あれで英会話できたんですか?

サイドホテル
Seaside Hotel
はい！今日泊まるホテルはこちらですよ
お巡りさん免税ショップはあるかい!?
ギクッ
え!? も……もちろんですとも
そうかヤバイ！
このホテルは日系の人が経営してますからすべて日本語でOKです！
娘にみやげたのまれてねえーとカルチェの…
私もいっぱいたのまれた
ガヤガヤ
私も
免税ショップが遠いので私が代表して買ってきましょう
すっかり免税のこと忘れてた

えーっこんなにいっぱい買ってくるの!?
元町にいけば買えるだろ！酒やタバコもいっしょにたのむぞ
だって全部そろえたら100万以上になっちゃう！
わかってるよしかしもうあとにはひけないんだよ麗子のカードで買ってくれ！あとで金返すから…

お巡りさん！
はいはい！なんでしょう
免税だとすべてが半額以下になるんだよねたしか？
ほらね
ほんとだっ
ほら！
も…もちろんですとも！
よかった安いね

ホテルで予約まちがえて一番高い部屋に22人も泊まっちゃったのよ！ 帰る時に気づいたんだけどね
おまけに酒に酔わせれば外国も日本もわからなくなるだろうって毎晩 宴会やっちゃってさ大変だったわ
帰国の日なんか全員 電車で帰ってきたのよ
もうメチャクチャあれで 本当にハワイにいったと思ったのかしら？
春の交通安全運動
酒が 入ると先輩もあと先考えないからなあ
結局 全部で300万近くかかっちゃったわ！本当にハワイいくのと変わらないんだもの！
あ部長！
きいたよハワイ旅行の一件は！
豪快な旅だったようですね！
旅行会社の犯人が詐欺でつかまったそうだ
えっ本当ですか！

もどった お金で 今度こそ ハワイへ いけますね…
いや! 敬老会の 人たちの好意で すべて 両津に あげることに きめたらしい
本物のハワイより 楽しい旅だった そうだ!
あいつも たまには 人に喜ばれる ことを するんだな
やはり 気づいてたのね ここは ハワイだと 騒いでいたのは 両ちゃんだけ ですものね!

おはよっす ああ 頭いてーっ

麗子 10年がかりで 300万返すから だまってろよ
え… それが…
ドス

ドキッ
両津 じつは 旅行のこと だが……

勘弁して くださいよ! もう 旅行 ひきうけるのは ごめんです! だれか ほかの人に たのんで ください!
旅行後遺症が まだ 残ってる ようね!

★週刊少年ジャンプ1985年21号

固い絆!?の巻

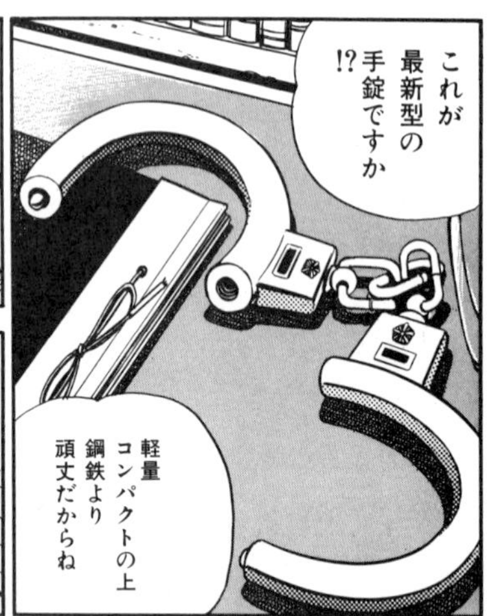
これが最新型の手錠ですか!?
軽量コンパクトの上鋼鉄より頑丈だからね

どういうふうに使用するんです?
ちょっと手をかしてごらん!

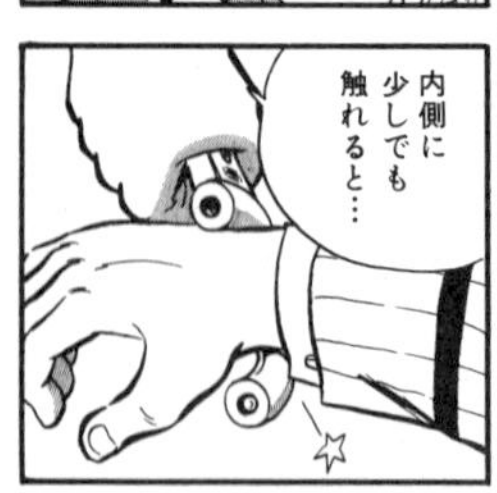
内側に少しでも触れると…

自動的にロックされてしまうわけ!
あっ

カギは電子ロックキーを使ってあけるのさ
すごいなあっという間にロックされてしまう!

ふああやっと交替勤務の連中が　きたか
今日の夜勤はきつかったな!
ポリポリ

ずいぶん眠そうね両ちゃん
眠いなんてもんじゃないよまったく！
ふあぁ
ドス

5日前 夜中から海に行って 毎晩徹夜で酒飲んで その後 徹マン70時間やって すぐ 今回の夜勤になだれこんだから120時間くらい寝てない
むちゃくちゃね

今日帰ったら100時間くらい寝よう！体がだるい！
生活そのものがギネスブックね！

ん!? なんだそれ？
新型の手錠ですよ

ほら！わずか0.2秒でロックされるんです！
へえおもしれえ！

かっこいい！触れるだけでいいのかこりゃ便利だ
このキーであきますよ

さっきまであんなに眠そうだったのに…
遊ぶものには目がないからね先輩は！

引き継ぎ
終わり
ましたから
帰りましょう
先輩!
もうちょい
うーむ
この手錠
ほしいな!

疲れてるなら
早く帰って
寝ればいいのに
子どもと
いっしょね
なん
だと!

子どもで
悪かったな!
おまえなど
逮捕だ!
きゃあ
──っ
シャキッ

あっ
あっ
カギが
!!

何する
のよ!!

パク

あ──っ
たべちゃっ
た!
え───っ
!!

こらっ待て!!
きゃあ——っ
ちくしょう逃げられた!
どうするのよ……これ!
わしがしるかよ
本署から借りた物だから問い合わせてみるよ!
そうだねスペアキーがあると思うよ
両ちゃんがでかい声だしたからあの犬驚いて逃げちゃったのよ……
そっとつかまえればよかったのに……
カギがおちた原因はおまえだろうが!!
きゃあ——っ

夕方に担当の人がもどらないとわからないって！
なんだと！

夕方まで麗子とこのままでいるのかよ!?
ジャラ
もう！手錠で遊んでた時からいやな予感してたわ！

じゃ先輩！ぼくは先に帰りますから……
なんだっておい!?

両ちゃんは私といっしょに勤務するのよつながっているんだもの！
ジャラ

ちょっとまてよ！わし120時間も寝てないんだぞさらに8時間も勤務させる気か！
だってしょうがないわよ！私が休むわけにいかないでしょう

今日は非番の日だぞなんで働かすんだ！
いいわよじゃあ自由にしていって！

あたり前だまったく！
わしは寝るからな！

どんなところでも寝れる人ね!
動物と変わらないわ
グゴオオオッ

麗子さん仕事できるのかい?
なんとかね!
グゴオオオ

ジリリリリリーン

はいこちら…
はい!いますけど……
グゴオオ

私に電話!?
いてえ!目が覚めちまっただろ!
ちょっとこっちへきてよ!
ズル
ズル

はいかわりました!
えっこれから署へ!はいわかりました!
グゴオオー

あいたた何するんだこらっこら!
ズル ズル
これから署までいくのよ!
あっひょっとして今日土ようだっけ?
そうよどうかしたの!
中山競馬場で大レースがある日だ忘れてた
きゃあ——っ
署にいかなきゃだめよ!勤務が先よだめ!!
わしは非番なんだぞ競馬場だ!
くそなにもかみつくことないだろあちちち
ちゃんと手を組んでよみつかったら恥ずかしいから!
課長大胆なカップルですな
署のムードも昔と比べると変わったものだなげかわしい

あっ ちょっと ストップ！
えっ 何よ
おしっこ したくなった ちょっと きてくれ
トイレ
MAN
いやよ あんなところ いっしょに いけないわ！
いけないわ じゃないよ！ どうすんだよ もっちゃうぞ!!
困ったわね えーと…
そうだ 裏庭の 陰で しちゃったら？
署の裏で 立ちションしろと いうのか!?
とは いうものの もう 待ちきれん
ジョロロロ…
ふう さっぱり！
もう やだあ なんの因果で こんな目に あうのかしら
麗子 じゃない 何してるの？
あの… ひなた ぼっこよ…
やだあ 麗子 らしくない
いっしょに バレーボール やりましょう ねっ
うっ
ガタッ
あっ

おっと まだ 早い こら！
ぎゃあ ああ
ジョロロ…
きゃあ 変態!!

早いと いったろ みろ！ 変態扱い されて しまった！
もう 死にたい！
交通課
署内剣道大会 7月1日

もう 用事 すんだろ 早く 帰ろうぜ！ ん!?
あのね ………

なにっ トイレ だと!?
わしが いっしょに 入ったら 本物の変態に なっちまう じゃないか！
女子用

わし みたいに 外でしろよ 目つぶってて やるから
そんなこと できるわけ ないでしょう

ひとつだけ 方法が あるの…
どう やるん だよ

こうするの！
ゴロロ

もういやだわこんな生活!!
私まで変態扱いされちゃうわよ
ズル
ズル

なにっカギがない!?

担当の人旅行にいっちゃったんだって！明後日までもどらないらしいよ
2日間もこのままでいるのかよ!!

どうしよう私今夜神戸に帰らないといけないのよ……
なに！

冗談じゃないよわしだって用事があるんだ！くそ！なんとかせねば！
ガッ
ガッ
ガッ
ガッ

グオオオオオ

なんでわしまで用もないのに神戸にいくんだよ！
つきあってよ！おいしいステーキおごるから！どうせヒマなんでしょう？

明日みあいだといってたがこの姿ででる気か？
ジャラ
神戸についてから考えるわ！

神戸 六甲（ろっこう）にある
麗子の実家

麗子お嬢様がおもどりになられました
まったくなん度連絡してもなしのつぶてなんだから
悪い虫がつかんうち！早くみあいでまとめないと心配だ
そうか！
ババッ
麗子お帰りパパだよ
私は両津ですこんばんは
ずるっ
男といっしょにくるとはなんというふしだらな！
ちがうのよパパ！……というわけなのよ
なにっ…というわけか…うーむしかし……
よりによってこんな不細工な男といっしょにくるとは！
くそ

あーーっ疲れたわ左手が痛くて!
こっちだって疲れたよ!寝不足の上神戸まで連れてこられたんだからな
この間男!!
娘の部屋にだまって入りこむとは何ごとだ!
パパしようがないわよこれですもの

この男が変なことしたらこれを 使用しなさい!

おまえこそどこから入ってきたんだ!変態オヤジめ!
みあいは明日1時からだからねおやすみ!

汗かいちゃったわお風呂でも入ろうかしら
うん!そうしましょう!

あっ いや私 大丈夫絶対みないから!
目かくししてるからね!ご安心!

着がえや
トイレのたびに
気絶させるなよ
頭が パアに
なるだろ!
だんだん
抵抗力が
ついてきたわね
気づくのが
早くなったわよ
麗子だけ
風呂に入る
気か?
すぐ
でるから
まってて!
わしだって
入る
権利は
あるぞ
ガチャ
こんな
ところで
裸に
ならないで
そのまま
入ってよ
むちゃ
いうなよ
女は強い!
しかし
手が
つながってる
状態で
どうやって
着がえ
たんだ?
おまえ……
ちょっと
した
コツよ!
ふう
さっぱり
したわ!
わしは
全然
さっぱり
しない!
服着たまま
お風呂なんかに
入るからよ
おまえが
入れと
いったん
だろうが!

ふああ
わしは
どこで
ねるんだよ
どうしよう
かしら
ベッドは
ひとつしか
ないし……
めんどう
くさい
床でいい……
あっ
無理も
ないわね
135時間も
起きてたの
だから……
どうしよう
明日
このまま
つれていく
わけには
いかないし

神戸デラックス お大尽ホテル

もう
くる頃だと
思いますが…
すみません
いいえ
私は 気に
しません
!
まったく!
私より 早く
車で出発した
はずなのに!

麗子さんのためならなん時間でもまちますよ
はははねえパパ
そうですとも！
ホホ…

どうもおまたせしまして！
あっ麗子さんだ！

ホテルにくる途中元町でこの人形を買っていましたの！
ズズズ…

よいしょっと！
ちょっと置かせていただくわ
グオオオ…

麗子さんかわいいところあるんですね好きだなあぼくそういうの！
まあありがとう

ご存知と思いますが私天下丸大介天下丸財閥のお坊っちゃんです
このたび秋本貿易とお近づきになれうれしく思ってます！
こちらこそよろしく！

ふああ ああ
ピリ
ご趣味は なんですか？
お金を使うことです 金がありすぎて 使うのが 大変で！
ガタ
あいてて！
おーいて ありゃ？
どこだ ここは？
ジガラ
あっ 麗子が いた！
ひょっとして おみあいの 相手は あのバカ面 した男
パパァ こわいよ なんなの あの タヌキ！
ガタッ
秋本さん では この話 なかったことに …じゃ また
ガクッ
どーも 初めまして 私 麗子の父の ひかる一平です
ペコ
酒
あっ 天下丸 さん！
いーじゃ ありませんか もっと 遊んでって くださいよ

★週刊少年ジャンプ1985年29号

二輪諸法度の巻
りん しょ はっ と まき
lice 1000

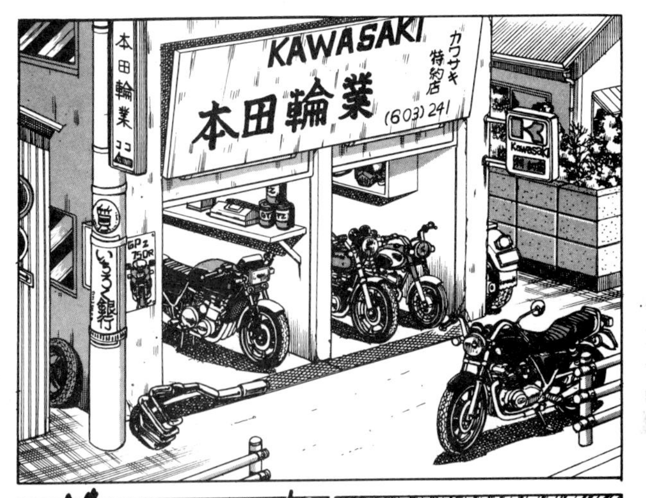
KAWASAKI
カワサキ特約店
本田輪業
(603) 241
本田輪業 ココ

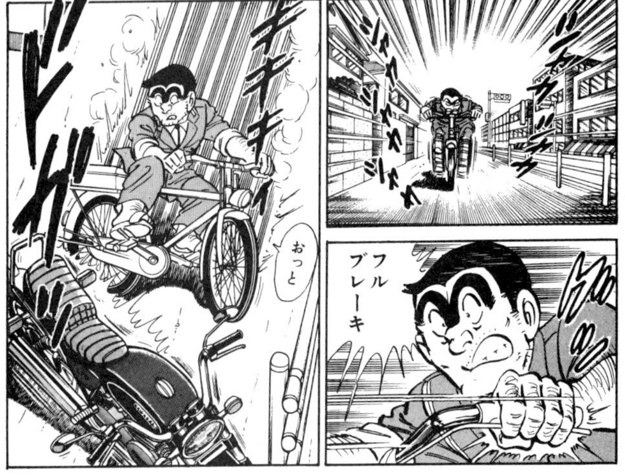
フルブレーキ
おっと

あっ！

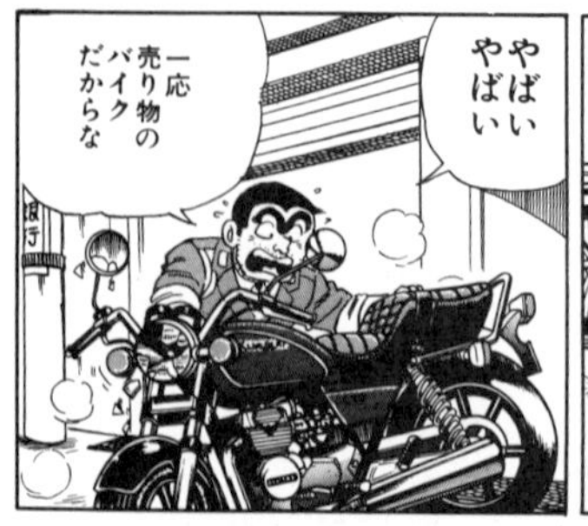
やばい
やばい
一応
売り物の
バイク
だからな

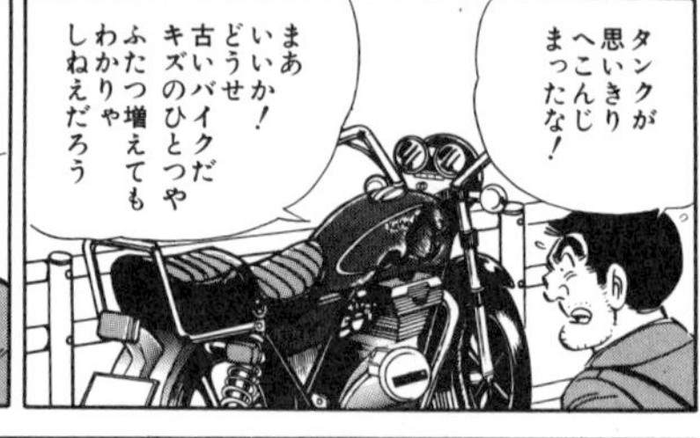
タンクが
思いきり
へこんじ
まったな！
まあ
いいか！
どうせ
古いバイクだ
キズのひとつや
ふたつ増えても
わかりゃ
しねえだろう

うおっ
す
本田(ほんだ)
いるか！

おーい
だれも
いないのか!?
バイク
かっぱらわれ
ちまうぞ！

あっ両さん！
店番しないで何やってるんだ！
今 クッキー焼いてるところなの両さんもたべる？
まったく女みたいなやつだな
両さん何しにきたの！
おまえが休みだから遊びにきてやったんだよ
あいかわらず油くさいなここは！
バイク屋だからしようがないよボクなんか全然 気にならないけどね

オヤジさん
今日は
いないのか?
兵庫県の
カワサキまで
部品を　とりに
いってるんだ
2~3日は
もどらないん
じゃないかなァ

ちょっと
まってて!
今　おいしい
ブルーマウンテン
のコーヒーを
入れてくるね
マメな
やつだな

うち　古いバイク
ばかりでしょう
部品生産中止
しちゃってるからさ
本社の倉庫へ行って
さがしてくるんだよね
メグロ時代の
キャブレターとか……
陸王の
新車が　3台も
置いてある店は
日本中さがしても
ここだけだからな
HONDA

たべてみてよ
甘さを
おさえた
フロランタン
風のクッキー
だよ

ボリ
バリ
ボリ
バリ
味が
しねえ!
うまくも
なんとも
ねえ

もっと　味を
ハッキリ
させろよ!
しょう油つけて
やくとか!
それじゃ
おせんべいに
なっちゃう
じゃない!

やっぱ味つけは
ミソか
しょう油に
限るぞ!
バリ
バリ
バリ
純日本人の
両さんに
理解を
求める方が
無理だった
みたい……

すみませーん!
おい客がきたぞ!
VOYAGER '85
HONDA

カワサキのGPZ400R(ジービーゼットアール)くださいこれ…このバイク
それですか?
カワサキ
HONDA

それ 売れないいんだよね 父さんと面接しないと
面接!?

一か月くらいつきあって気に入った人じゃないと売らない方針なんだ
そんなバカな!!

バイクなん年乗ってるの?
おととい取ったんだほら!免許証

初心者じゃおそらく無理だよ父さんは売らないと思うよ!
ここバイク屋でしょうなぜ買えないの!?

初心者だったら
このZ250FTはどう？
年式は　古いけど
扱いやすいし
経済的だよ
これなら　面接で
合格するかも
しれないよ
かっこ悪いよ
そんな古い
バイク!!
もう　いいよっ
ほかの
バイク屋で
買うから
フン！
あいかわらずの
がんこ商売
気質だな
そうなんだ
つぶれちゃう
んじゃないかな
この店……

ガロオン
ズベベン
ゴボボ
おい
ここだ！
この店
今度は
やかましい
のが
きたぞ！

本当に
あるのか
よ！
ガロロ
ゴオ
売れて
なければ
な！
ゴロロ

うおっ

やったあーっ
ライムグリーンの
KH(ケーエッチ)400最終型
だ!
なっ
すごいだろ
中古車で
これほど 程度の
いい車は
2度とないぜ!
それ
中古車じゃ
なくて
新車だよ
えーっ
!?
400cc
4気筒!?
DOHC
HONDA
FX
たしかに
オドメーターが
ゼロに
なってるけど…
まさかなあ
うそに
きまってるじゃん
パーツだけ
新品にした
だけだぜ!

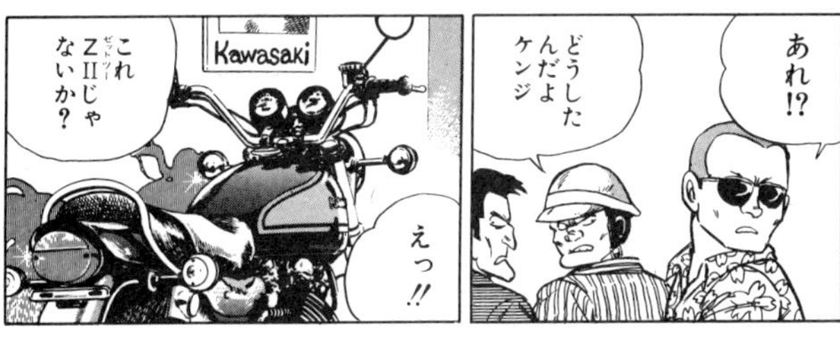

あれ!?
どうした
んだよ
ケンジ
えっ!!
Kawasaki
これ
ZII(ゼットツー)じゃ
ないか?

すげ——っ
写真でしか
みた事なかったぜ
本物だよ
それも
ピッカピカ!!
よっぽど
前のオーナーが
ていねいに
乗ったんだな

だってそれも新車だもん!
またウソいってるぞ!
無視!無視!
KAWASAKI GPZ1000 270km 128PS 予約受付中
あのKHいくら?
当時の価格31万円だけどきみたちじゃ売ってくれないと思うよ絶対に!
どうしてだよローンだと売れないのかよ!
そういう問題じゃないんだけどね
俺たちは客だぞ!売れよあのバイク
先輩助けて!
おまえらみたいな連中はコンクリートに頭ぶつけて死ねよ!
思いきった事をいいやがるな

売り物じゃねえっていってるだろ帰れ!帰れ!
あっ警官だ

ちぇっ帰ろうぜ!くそ!
KHおしかったな!
バウ

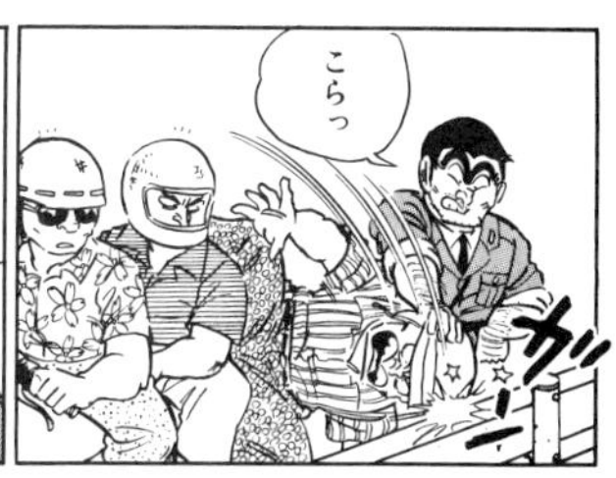
こらっ
ガツ
HONDA

なん人乗る気だよ バイクはふたりだろ!
おまえは歩いて帰れ!

まったくあいつら何 考えて生きてんだ
さあ? 何も考えてないんじゃないすか?
HONDA

ああいうどうしようもないのとアッパッパーギャルがくっついてガキ産んで親になるわけだろ
21世紀には日本は 滅びるかもしれんぞ

なんだそりゃ?
FX750のエンジンですよ
HONDA

いらなくなった部品でバイクを組みたててるんですよ
おまえバイク作れるのか?
Kawasaki
HONDA

まだ 試作なんだけどみますか!?
よしみてやろう
HONDA

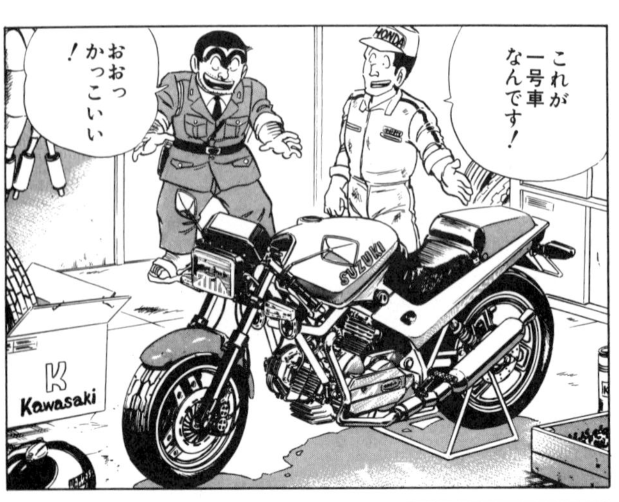
これが一号車なんです！
おおっかっこいい！

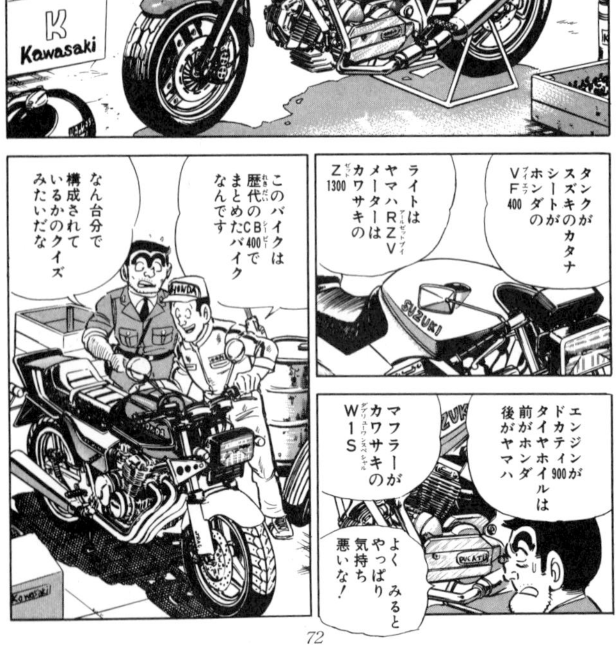
タンクがスズキのカタナ シートがホンダのVF400
ライトはヤマハRZV メーターはカワサキのZ1300
エンジンがドカティ900 タイヤホイルは前がホンダ後がヤマハ
マフラーがカワサキのW1S
よく みると やっぱり気持ち悪いな！
このバイクは歴代のCB400でまとめたバイクなんです
なん台分で構成されているかのクイズみたいだな

今は そっちを作ってるわけか？
そう どういう部品でどう組みたてるかとても楽しみなんだ！
SAKI

せっかくの休日なのに一日中バイク作りかよ
そうなの 楽しいよ

不健康だな 外に出て遊べよ
勤務の時は一日中外ばかりだよ ぼくの場合！

光輝く太陽の下で思いっきりマージャンをするとか緑の大地でさわやかにモデルガンを磨くとか……
どこが健康なんですか？
しかし こう みると基本的にはプラモデルの組みたてと変わらんな
そう ですか？

ようし わしも 一台作ろおっと！
そこにある部品使っていいですよ

ところで少し ハラがへらないか?
疾走!ニューマッハ 500-SS
じゃ何か作ってこようか!
ラーメンでもなんでもいいよ
まかせておいてよ!
くろがね自動二輪車
新発売
NEW MODEL
イタリアのカルパッチョ 両さん 濃い味が好きだから濃い目にしといたからね
あと仔牛のシャトーブリアンときのこのサラダ
このベンジャミンソースがおいしさの秘密なんだから

やけに時間がかかると思ってたらこんな物を作ってたのか!
そうおいしそうでしょう あっちょっとまって!

とても高速を250キロでかっとぶ男とは思えんなまったく
うーんおいしい! 今日は上手にできた

みろ
オートバイの
常識を
破った
前輪駆動
バイクを
作ったぞ
ふつうと
変わらない
じゃない？
みてろ
今 動かして
やるから
このハンドル
形状と
メーター位置に
注目して
もらいたい

ライディング
ポジションは
このように
なる
後輪で舵を
とるわけ
だ！
さっそく
外で試乗
してみよう
走れるん
ですか！

あったり前
だろ！
わしは天才
なのだ！
ドゥ
ドゥ
いいか
いくぞ！

KAWASAKI
本田輪業
GO!
ドドドオオッ

すごい器用に乗るものだな!

わははさすが!!
やはり天才はちがうね!

おっと前方が工事中だ!

グイ
あんな物よけるのは簡単!

フラッ

あらっあらら!
ちょっちょっと!
フラ
こらそっちいっちゃいかん!
フラ

グヴオ
男の旅路
関東はぐれ鳥
北島サブちゃん
八代亜紀
人情
男一代
ぬわっ
ブレーキ
ブレーキ
やはり無理ですよあんなの！
くそちょっと運転を誤った！
どうせ作るならば人とちがうバイクを作りたい
気持ちはわかりますけどむずかしいですよ！
ペットM5
店の裏に自動車修理工場があったな
ええ！ありますけど……
またおかしな物を作りそうだな
組みたて教えなきゃよかったな

できたぞ
名づけて
「マッドネス
スペシャル
4000」
V型8気筒
4000c.c.重量600kg
アマゾネスが
原付きに
みえまーす

こんなの
走らせる
つもり
ですか?
そう!
よろしく
たのむぞ
メグ゛ロ 300
アーガス
ポン

えーっ
ぼくが!?
乗れるはず
ないですよ
なせば
なる!
投げたら
アカン!

やだーっ
あんな怪物
みたいのに
乗ったら
死んじゃう
!
おまえしか
いない!
あれを 運転
できるやつは…

わしも
製作者として
いっしょに
乗ってやる
から……
でもくっ
本当に
乗れると
思うん
ですか!?

横に座れるバイクなんてちょっと ないぞいかしてるだろ…
ヴオォン
ヴオ
どこがいかしてるんですか！
早く走ってみろよ
V8 4000
それじゃいきます！
ギュ
ギャオイ
どぎゃあん
うひょう出足最高！
アメ車並みだ！
むふふふこの加速！しびれるじゃねえか

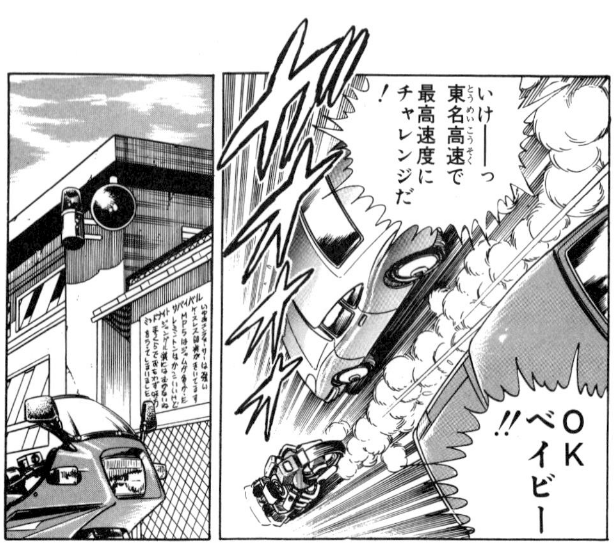

★週刊少年ジャンプ1985年46号

両津サマ御一行の巻

きめた!!

今年の夏休みは海外の島へいくぞ!

派出所の旅行でしょう 部長がOKといいますかね
大丈夫

わしが説得してやる 安心しろ!
旅行会の積み立て金じゃとても足りませんよ

旅行代理店に交渉してまけさせる! まけさせるのは大得意だ!
手荒な事はしないでくださいよ

両津サマ御一行の巻
jet ski
440
231-335A

白い砂
青い海
水平線より
届く貿易風

そこには
南国の光を
体いっぱいに
あびながら
一日のんびりと
読書する
部長の姿が
あるのです

まさに
気分の
リフレッシュ
今年の夏は
南の島しか
ありませんよ
うーむ
BAHAMAS

しかし
われわれだけ
海外旅行とは
署の連中に…
何を
いうんです
部長！

内勤とちがって
われわれ外勤警官は
ハードな
勤務の毎日です
だからこそ
海外のリゾート地で
身も心も
休めるべきです!
どうして
もっと大きな目で
とらえてくれないいん
ですか 部長は!
'85 JALPAK
GUAM·

じゃあ
今年は
リッチに
南の島へ
いくか!
えらい!
それでこそ
インター
ナショナル!

ところで
南の島と
いうと
ガダルカナル
島か?
ズル

遺骨収集団で
いくわけじゃ
ないんですからね
もっと
トロピカルな
島ですよ
そうか!

もう
ハワイアンの
音楽はとめて
いいぞ!
バッチリ!
南の島に
決定した!
さすがは
先輩だな
'85 JALPAK
GUAM·
SAIPAN

じゃ あとは
あっしが
すべて
手配します
ので!
うむ
たのむぞ
'85 JALPAK
GUAM·
SAIPAN

さっそく
旅行代理店に
申し込みに
いってくる!
あっ
先輩
ちょっと!

予算が
足りなかったら
ぼくが 協力
しますから
あまり 無理な
交渉しないで
………
ばかもの!
よけいな事
するんじゃない

7人も
いくんだからな
団体割りびきで
絶対に
まけさせて
くる!

でも 30万円を
3万円に
値切れるとは
思えないけど
なあ………
初志貫徹の
人だから
大丈夫よ!
だれも
かなわない
もの!

グオオオン
JOG
JAPAN OLD GOING
YAMAHA

部長
みえてきました
まもなく
着陸ですよ
家から
もってきた
このお守りが
役に立った
ようだな
下にみえる
島が　ぼくらの
泊まるところ
ですよね
そう
だよ
滑走路が
みあたり
ませんよ
そうか
おかしいな

うわっ
墜落
だあーっ
!!
きゃあ
——っ

キイイイン

機長です!
皆様 楽しんで
いただけた
でしょうか?
島に到着
しました!
びっくり
させやがって
このやろう
!

機長さん
元米国アクロバット
飛行隊の
隊長さん
ですって!
ジャンボで
アクロバット
されちゃ
こっちが
たまらんよ

先輩が
予算まけさせ
たから
燃料が 途中で
切れたのかと
思いましたよ
バカ
いうんじゃ
ない!

ホテルは
この近くの
はずなん
ですがね?
もしかして
あれじゃ
ないですか…

写真と全然ちがうんじゃないか！
ここで思いきり予算を削られたみたいですね
両津様グループ用
とにかく荷物を置いて休もう！
くそ～～～っ代理店のやつめ日本に帰ったらぶっ飛ばしてやる

部長とぼくが1号室 麗子さんが2号室
HOTEL
TROPICA
寺井さんと戸塚さんが3号室です
わしと本田が4号室か！

1時に ここへ集合して昼食にしましょう
はーい
ウェルカム トロピカル ホテル ジャパニーズ ノーキョー

4号室だけボロッちいと思わんか？
そういえばそうですね

よかった！中はきれいですね
早く着がえて海へいこうぜ！

えっひと休みしないいんですか？
あたり前だ外にボートがあったから早く手に入れねば！

先にいってるぞおまえも早くこい！

まったくせっかちだからなあ
のんびりするための旅行なのに！

うひょーっ砂が熱くて気持ちいい！

あっ
麗子!!
あら!
両ちゃん
さすがに
早いわね!

きったねえ
そのボート
初め わしが
みつけたん
だぞ!

両ちゃんは
むこうのに
乗れば
いいでしょう
くそ!

あいつ
水着の上に
服着てたのか
どうりで
早いわけだ
先輩も
きてたん
ですか?

このボートは
わしのだぞ
おまえのは
自分で
さがせ!

じゃあ
こっちの
ボートを
借りよう
グイ
グイ
ぶっ!

あんなところに
新品のボートが
かくされてた
とは……
どーも
おまたせ
みんな
おまえが
悪いんだ
!
ポ
あいた!?
ザ
部長さん
たちは
どうしたの?
午後から
ゴルフやる
からっていって
下見にいってるよ
!

きゃあ——っ
あっ何するのよ!!
お礼参りにきたぜ!
このボートは元もとわしのだからな!
ダッ
うおりゃ
きゃあ——っ
へへっやったぜ!!
今度は中川だ!

なんでぼくが関係あるんです！
新品のボートをとりやがったからだ！

先輩助けてくださ〜〜〜い
ぼくは泳げないんですよ！
あっあんなところに流されている！

あのやろうボートもこげないのかまったく！
ザザザ

麗子さん大丈夫かい？
もうジョーズみたいな人ね！

あーーっこのボート水がもってくる
そうなんですよ助けてください！

ひとまずあの島に避難しよう
うわあ沈むっ

だめだ！このボート完全に壊れちまった
どうやってもどるんですか!?

なにっ
両津たちが
あの島に
島流しに
なっただと！
麗子さんの
ボートを
沈めてるうちに
自分のボートが
沈んだらしくて
………

まったく
子どもみたいな
事ばかり
してる
やつだな
ボートで
迎えに
いきま
しょうか？

生命力の
あるやつだから
心配いらん
食事を
しよう
そうそう
天罰だよ

すぐ
ボートで
迎えにきて
やるから
はなせよ！
だめだめ！
ぼくひとりを
置いていかないで
くださいよ〜っ
迎えに
くるのを
まちま
しょうよ！

あいつら
絶対 迎えに
なんか
こないって！
ひとりに
しないで
くださいよ〜っ
うえ〜ん

ひとりなら
30分で
むこうまで
泳げるが…
本田を
連れてだと
あばれるから
なん時間かかるか
わからん！

わかったよ！あいつらがくるまでまっててやるよ
ありがとうございますうえ～～んうえ～～～ん

食事の時間だというのにまだこないな
こっちからいってみましょうか
ジュウゥ

全然なしのつぶてじゃないかよ
心配してるはずです！きますよ
HONDA

おーい両津!!
きたあ——っ
HONDA

元気かあ！船上の昼食はおいしいぞ
こりゃあうまい！最高だねははは
あれだよ！あれが心配している姿か？

部長早く船をつけてくださいよ——っ

今何かきこえたか？
いーえ全然！波の音しかきこえません

ちくしょう本気で頭にきたぞ!
あっ
だれが助けを借りるか!
うわ――っ
両津がおこった!
両津!! ジョークだよ
今 迎えにいくから!
いらん!! あっちいけ
あぶない本当に沈められちまう!
逃げろ早く!
やめてください本当に孤立しちゃったじゃないですか!!
心配するなわしにまかせろ!

えーーっ おこって こっちに帰って こないですって！
すまん！ ちょっと からかう つもりだったの だが………

どうするの 一度おこると 手が つけられ ないわよ
説得しに いったら ボートを 沈められそう だしね 今の調子じゃ

えっ なんですって！
ペラペラ

このあたり 夜になると 水かさが すごく増える らしいわよ
えーーっ

何してるん ですか？
とりあえず 今夜 寝るところを つくろう！

えーーっ ここに 泊まるん ですか!?
そうだよ

なんで バカンスに きて こんな目に あうのかな
つべこべ いわず 手伝え！

★週刊少年ジャンプ1985年34号

弱肉強食！
の巻

グオオ…

ドドーン
あいた!

あいててそうか!
木の上で寝てたんだっけ!

おはよう
ございまーす
おう
おまえも
起きてきたか
…………
バシャ
バシャ

ゆうべは
びっくりしましたね
波が森の中まで
きてましたからね
まったくだ
あぶなく
溺れる
ところ
だった
ガラ
ガラ

おまえ
腕時計に
コンパスが
ついてたな
ちょっと
かせ!
え
どうして!
ブッ

朝めしの
用意を
するんだ
パキ
あっ
壊した!

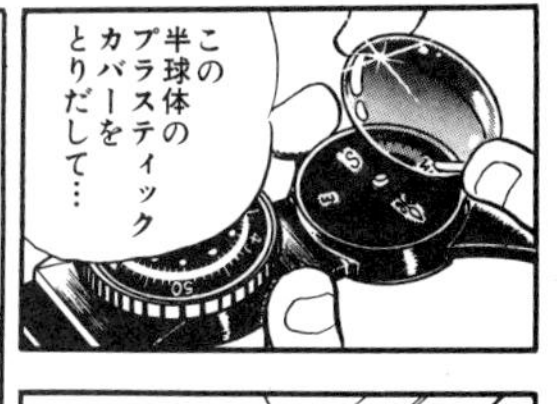
この
半球体の
プラスティック
カバーを
とりだして…

中に水を
入れると
ちょうど
凸レンズの
かわりに
なる

森の奥から
枯れ草を
さがして
火を つけて
まっていろ!
こんなので
本当に火が
つくんですか?

朝とはいえ南国の日差しは強い5分ほどで火がつく！
先輩はどうするんです！

おいしそうな魚をつかまえてきてやる
ザザー

先輩生活力があるからこういう時は助かるなあ

先輩おそいな…

うわっ

いやあ 悪い！こいつが手間を とらせやがってよ！
ずいぶんとってきましたね！

素もぐりで楽勝にとれるよ…この海は魚だらけだ
すごいなあ!

おまけにみろ!こんな物もひろってきた!
ダイバーナイフだ!

スキューバダイバーの連中が落としていったやつだ高級品だぜ!これさえあれば鬼に金棒だよ!
どうやって魚たべるんです!

今おろしてやるからなまってろ!

ジュウウ…

そっちの魚はどうするんです?
ひらきにして乾燥させ保存食にしておくこうすればなん日ももつからな!

どうだ海水で洗ったから本物の塩焼きだ
みなれない魚だから気味悪いですね

えーっ
なん日も
ここで
暮らすの
ですか!?
わからん!
むこうが
謝ってくる
までだ!

こうなった
原因は
部長に
あるんだ
からな

様子は
どう?
浜で魚を
焼いて
ふたりで
たべているわ
思ったより
元気そうね

だから
心配いらんと
いったろ
両津は
どこでも
生きていける
やつなんだ
しかし
せっかく
みんなで旅行に
きたのですから
…………

修学旅行でも
いるだろ!
団体行動から
はみだす連中
が!
両津は
あのタイプ
なんだよ
必ず
別行動を
したがるんだ!

修学旅行で
京都に行った時も
両津だけ抜けだして
大阪見物してきた
といってたからな
まったく!
20年以上
たっても 全然
変化のない
男だ!

だいぶ家らしくなってきましたね!
ガサ…
ナイフが手に入ったからな活動範囲が10倍に広がったよ!
両津家

見晴らしもいいしな…いい場所だ!

あっ!?
ホテルにいた鳥じゃないか?

むっなんだそりゃ?
バサ
バサ

おーい両津聞こえるか
あっ部長の声だ!

この辺で
休戦
しよう!
こっちの
島に
もどって
きなさい!

いやです

わしが
悪かったよ
なっ
謝るから
部長さんも
頼んでるのよ
もどって
きて!

土下座
して
謝ら
ないと
イヤです

きさまと
いうやつは!
つけ上がる
んじゃ
ないぞ!
部長!
引っぱったら
糸が 切れ
ますから!

どうして
ぶきっちょ
なんだよ!!
ヘタクソ!
だって
弓が強すぎて
引っぱれ
ないんですよ!

そんな事じゃ この島で 生きて いけんぞ
生きたく ないよ~っ 帰りたい よ~~~っ

しようのない やつだな! おまえ専用の 弓を作って やるよ

狙いだって 上手に 定まら ないんだよ
まかせて おけ!

これなら おまえでも 大丈夫だ

これに おまえの 弓を横に つけるんだ

テコの利用で 楽に リセットできる 中折れ式に なっておる
へえ

あとは ストックを しっかり 肩にあてて 引き金を 引けば 的にあたる!
カッ
すごい! やったあ ——っ

矢にヒモを
つければ
魚も　とれる
自分のたべ物
くらい
自分でとれよ
厳しい
なあ！

やっほっお
ん
なんだ!?

あっ
麗子だ！

先輩
いっしょに
遊びま
しょうよ！
ダダダ
あ———っ
きさまら
機動力が
あるのか!?

ダダダ
隣の
ビーチで
借りたんですよ
今　そっちの
島へ
いきますから
くるんじゃ
ない！
きたら
沈めるぞ！

いつまでも
子どもみたいね
上から　みると
小さいくせに！
なに！

小さくても
パワーが
ちがうぜ!!
きゃあーっ
やった!!
本田
麗子を
生けどりに
しろ!
捕虜に
するんだ!!
風の具合で
この島に
落ちてくるぞ
もう
手が
つけられ
ないわね!
カチャッ
つかまったら
火あぶりに
でも
されちゃい
そう!
ザバーン
くそ!
のがした!!
おしい!

戦利品はパラシュートだけか！
服や寝袋が作れるぞもうかった！

まるで岩窟王だね
あのふたり十分レジャーを楽しんでいるようよ

われわれもボートを作って機動力をもとう！おまえも手伝え！
だってナイフ一本しかないもの
ガッ
ガッ

そうか！道具がもうひとつ必要だな

大きな岩をこうして！

破片の中で鋭角に割れた岩を選んで…

先を　もっと鋭く　削り……
ガリ
ガリ
ガリ

パラシュートのヒモで柄に固定する！

木が
柔らかいから
これで
十分
使える
石器時代
みたい
ですね
原始的な
物だが
けっこう
削れる
ものだ!
みろ!
わしが
大まかに
削るから
そのナイフで
仕上げを
しろ!
大変な
作業だな
できるん
ですか?
きてよかったな!
たまには
仕事を 忘れて
のんびり
するのも
いいものだ
部長は
働きすぎ
ですからね
十分 静養して
ください
わしらが
この島に
もどってきたこと
気が ついて
ないな!
さすが 先輩だ
2時間でボートを
作っちゃうなんて!

あれ？
麗子がジープに乗ったG-I（ジーアイ）と話してるぞ
なんだあいつら？

まさかわしたちと戦うため軍隊に応援をたのんでるんじゃあるまいな
まさか！

あっあんなところに両ちゃんたちが!?
しまった！

おい両津まて！
にげろつかまったらやばいぞ！

早くしろ船をだすぞ！

へへへざまあみろ！
海にでりゃこっちのもんだ！

あんなところにボートが！
器用なやつめ！あのボートでこっちへきたんだな

あ──っ
ぼくらの
ボートが！
あのバカ！
こういう事は
マメにやる
男だ！
じごくへおちろ

あの島が　今夜
海軍の攻撃目標に
された事を
しらせようと
思ったのに！
わざわざ
的に　なりに
いきおった！

やったあ
やっほう
！
バン
ザーイ
SEA FOOD

これだけの
食料を
かっぱらって
くれば
なんか月でも
暮らせるぞ
！
よかった！
もう
木のコップや
木の皿を
使わずに
すみますよ
今夜は
パーティー
だぜ！
HOND

もしもし
聞こえますか?

先輩!逃げてください
先輩!先輩!

全然応答ありません
ゆっくりながめる事にしよう

なんだ？なんだ？
地震か雷か!?
砲撃だあーっ
部長たち本当に軍隊を使いやがった！
これじゃかなわんひゃあーっ!!

島の形がかわってきた……
さすがの両津たちもあれではたまらんだろう

あっ ボートが…両ちゃんたちよ！

軍隊を 使うなんてずるいよ〜〜っ こっちは 弓と石オノしかもってないのに！あれじゃ勝負にならないよ〜っ
本当に生命力の強いやつだ！まるでバルサンでいぶしだされたゴキブリだな………

★週刊少年ジャンプ1985年35号

しっかり
忘田くんの巻
THE SURVIVALGAME
TEAM
KAMEARI

何やってるんです先輩
折り紙！
千羽鶴でも折ってるんですか？
わしがそんな少女みたいなことすると思うか！
忍者の手裏剣だ！
シュッ
あいた！

愚か者 そのぐらい よけられんで どうする
突然じゃ 無理 ですよ
じゃ 今度は 右に逃げて みろ!
右ですか
!
それ!
ビッ
サッ
あいたっ
コン
クイ
わはは バカ正直 者め!
頭の切れるやつは 右といわれたら 左に逃げる ものだ!
しかし どこへ逃げようと わしの手裏剣は 変幻自在 なのだ!
ヒュッ
よく こんなのを 作れますね
折り紙の 手裏剣など 古典的な ものだぞ
そこで 私は 新しい 折り紙を 考えた!

似顔折り紙！エルビスプレスリー
へえ！
さらにこうすると口が動く！
なるほどよくできてますね

皆さんこんにちは私はプレスリーくんですよ！
このように腹話術で遊ぶことができる

うまく作ったものですね
ほかになんでも作れるぞ

ほら部長だ！
よく似てますねえ！
5時間もかかって考えだしたんだぞ！
ほかに植木等 茶川一郎 トニー谷 斉藤由貴… 現在10人作れる
この部長が一番よく似てますよ

部長など似てても知名度が低すぎる5〜6人にしかわからん！
それはそうですが………
だからこんな顔ひでぶにしてしまう
あっ
それより関西で禁じられてるという遊びをしってるか？
いえ
これだよこれ！
えっ？
うわっ
この紙鉄砲遊びは本物の音と間違えられパニックがおこる
だから禁止されているんだ
歩行者天国の真ん中でこんな音出したら大変
みんないっせいに地面に伏せてしまうぞ！

これには2連発の折り方もあるのだ
へえ

本当だ!

紙が柔らかいとすぐやぶけてしまう しかしかたすぎるとうまく開かないいい音出すのはむずかしいぞ
奥が深いんですね

この紙鉄砲をやくざの事務所の前でやるというのは危険この上なく絶対やってはならぬ!

組事務所の前へ行っていきなり……
出入りだ出入りだきやがった!

おやくざさんが出てきたら冷静な顔して!
私 みました スモークシールドをつけたシティーカブリオレがむこうの方に!

するとおやくざさんが!
アホか!やくざがシティーに乗るはずないだろねんなめとんのかわれィ!

いいえ!
今のは
シティーボーイの
若いおやくざ
さんで……
あっ!?
部長〜っ
いいから
続けろ!

ち 近ごろは
BMWに
乗りかえてる
おやくざさん
もいるよう
だから……
モトコンポを
つんだ
シティーに
かえても
いいじゃん…

それで
終わりか
オチは
どうした
?
いえ…
そこまで
まだ
考えて
ませんで…

しばらく
始末書かいて
なかったから
なつかしい
だろう
かき方
忘れたら
大変だから
かくか?
久しぶりに!

バカ!
部長が
いるなら
どうして 早く
教えねえんだよ
だって すでに
真うしろに
立っていたから
しらせようが
ありませんよ

目でウィンクを
するとか
つつくとか
合図のしようは
いくらでも
あるだろうが
!

そうだよ
そうすりゃ
こっちも
すぐ
気づくんだ
えっ
なんだって
!?

げっ本当だ!?
忘田がおまえのことよんでたぞ
遊ぶ相談したいから署にきてほしいと!
しかし私ただ今勤務中でありますから
大丈夫
ちゃんとおまえ今日は欠勤になっておる

ちっくしょう!
やることが学校の先生みたいに陰険だよ!
時どきふり返りながら行動しないとあぶないな
コカコーラ
ワンカップ
男酒
夏はヒヤで
ガッ
いてっ

あった！すごいホームランだねここまでくるなんて
さあ急ごう！
こらっちょっと待て！

このボールがおじさんの頭直撃したんだよ！
私は人間ができてるからおこらないけどね……

ひとこと位謝ってもいいんじゃないのかな？
は　はいごめんなさい
メキメキ

まったく近ごろのガキは！
GIANTS

あっ!!ボールが握りつぶされてる!!
これじゃもう使えないよ

ベンツを見たら身をふせろ
ドンデンパンパン協会
警視庁葛飾
視庁

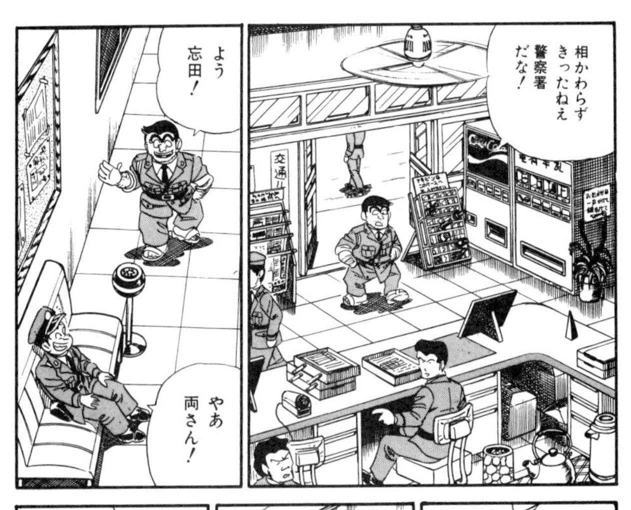
相かわらずきったねえ警察署だな!
よう忘田!
やあ両さん!

俺に用だって!
そうなんだよ!じつはね……
なんだっけ?

おまえの用事がわしにわかるか!!
えーとたしか大切な話が……
部長が遊びの話とかいってたぞ!
あっそう!!
遊びの話だ!

うちの近所でおもしろいおもちゃをみつけたんだ!
本当か!!

なんの話してたっけ!?
ずるっ

おもちゃの話だろ! 新しいのをみつけたって!
そう そうそうだよ新しいやつ!

あれ!?

ぼくここで何してるんだ?

わしを呼びつけて今 こうして話してるんだろ!
え!? いったいなんの話を!?
新しいおもちゃの話だ!

へえ両さん新しいおもちゃみつけたの?
ちがうおまえがみつけたといったんだ!

まさか！ぼくがみつけたのはアパートだよ3万5000円の！
今度はアパートの話かよ!!

え!? 今なんていったの？
アパートを借りた話だよ！3万5000円のアパート！

えーーっどうしてぼくがアパート借りたことしってるの？
今自分でそういったろうが！
ドキッ

うそだよ！ぼくいわないよ両さんどうしてしってるの？気味悪いな
ちょっとまて少し休む頭痛くなってきた

おまえ物忘れの度合いが日を追うにつれますますエスカレートしてきたんじゃないのか？
そうかな毎日が忙しくて覚えてるヒマがないんだよね

いつも前むきに生きているから過去は忘れる主義なんだ
忘れすぎるぞ！

おい忘田！
はい！

この書類
今日中に
まとめとけと
いったろ!
あっ
忘れた!
すいません
すぐ やって
おきますよ

本当に
申しわけ
ありません
これから
気を
つけます
!
しっかり
たのむよ

おもいだした
両さん
おもちゃ屋
だよ!
おい
書類が
おちたぞ
ポト
課課
通生
交層

え!?
なんなの
これ?
今
おこられた
ばかりだろ
それを
まとめろって!

おこられた?
いつ
だれが!?
両さんが
おこられた
のかい!?
いいから
書類
しまっておけ

読者の
皆さん
この忘田
どうしようも
ないやつと
思うでしょ
この男でも
役に立つことが
ひとつ
あるんですよ

忘田
わりい!
一万円貸して
くれないか?
いいよ
一万円だね

サンキュー
いつも
借りちゃって
悪いな!
気に
するなよ
ぼくらは
友だちじゃ
ないか!

一歩
二歩
三歩
おい
忘田！
え!?

俺
おまえから
何か
借りて
たっけ？
いいや
なんにも
ないんじゃ
ない
そうか！
おまえは
本当に
いいやつ
だよ
ぼくらは
友だち
だもの！

こいつのあだ名は
「ニワトリ忘田」
別名
「人間キャッシュ
カード」と
呼ばれる理由が
おわかりでしょうか
おもちゃ屋に
車で行こうよ
今日は　車で
出勤して
きたんだ！
そいつは
すごいな
やった！
あれ…
車の
キーが
ない？
おかしいな
どこに
入れたか
忘れちゃった！
困ったやつ
だな……

そうか！
すぐ 思いだす
ように クツの中に
入れたんだ！
そこの方が
忘れそうな
気がするが…

さあ
乗ろう！
あれ…？
おかしいな
カギが……

そうか
ぼくの車
隣だっけ
！
ずごごろ

自分の
車ぐらい
間ちがえる
な！
しばらく
乗ってなかった
からね！

あれ？
シビック
だったかな？
シティーだった
ような気も
するけど……
どっち
なんだよ
はっきりしろ

ひょっとして
この車かも
しれない！
ちがう！
こんな高級車
のはずが
ない！

このシティーだろ名が かいてある！
そうそう忘れないよううしろにかいておいたんだ
あっまた カギがどこかにいっちゃったどこだっけ？
両さんしらない？
いい加減にしろよ〜っ

やっと出発だもう30分もすぎてしまったぞ！
どこへ行くんだっけ？
おもちゃ屋だ！
REST

ギ!!
あれ？この車クラッチを踏んだら止まった！
真ん中はブレーキだ運転くらい覚えろよ!!

なまずくん
模型店
なまずくん
模型店
モデルガン
エアガン
Nゲージ
ガレージキット
TAMIYA

ヤマハビラーゴが でたのか! ひとつください
おい 忘田!
新発売
軍艦大和

ビラーゴ こないだ 買ったばかり だろ!
そうだっけ!? 新製品だと うれしくて つい なん回も 買っちゃうんだよね

おふたりで 合計 4万5000円に なります
はい

俺 サイフ 忘れちゃって さあ 悪いけど 俺の分 立てかえといて くれるか?
いいよ

おまえ 本当に いいやつだな! 気前が よくて 大好き!! また 買い物 いっしょに こようぜ!
そうだね ぼくたちは 友だちだもん!

あっ こんちは
あら どうも

両さん 今の人と しりあい？
バカ！ 今のは おまえの 親じゃ ないか！

あんな顔 してたっけ？ うーむ よく 思いだせ ないな……
むこうも おまえに 気づかな かったらしい すばらしい 親子関係 だな

両さん 何してるの？ ぼくたち バイクで きたんだろ
ちがう！ そりゃ他人の バイクだ おまえの車は ここ！

給料日前は 忘田の顔が 神様に みえるよ

いったい いくらくらい 借りてるん ですか？
そうだな つきあって もう 5年だから

★週刊少年ジャンプ1985年28号

コレクターの巻
今日はどの車で出勤しようかな……
LANCIA

コレクターの巻(まき)
MID NIGHT
SURVIVAL

坊っちゃま ご友人の ケーリッヒさんから いただいた スーパーチューンの フェラーリは いかがですか
あっ！ もう 届いたのか!?

いつも 新作を もらって悪いな お礼して おいてよ かれに！
はい！ GTS GTO B.B. 3台のフェラーリ つめあわせを 送っておきます
ウイイーン

ガチャーン

ガリオオオオ

KOENIG-FERRARI

おっと
また
信号だ

うーむ
信号が多くて
都内だと
一速しか
使えない!
まるで
AT車に乗ってるような
ものだよ

ん!?
レーシングカーでも走ってきたか?
ボボボ
中川か! うるせえ車できやがった!
カーマニアの轟ってやつしってるのか!?
ええなぜです
電話があったぞすぐきてくれってよ!
えっしかし勤務中ですから…

気にする事ねえよ わしも この車に乗りたい! いっしょにいこう
ボソボソ
しかし勤務が………
こらっ逃げたらだめよ!
しまったっ勘のいい女め!
グイ
中川車だせ!
ギャギャン
忍法空蟬の術だ!
わははは明智くんさらばだ!
あっ!?

まったく
逃げ足が
早いわね

バッチリ
いい
タイミング
だった!
いいん
ですか
本当に!?

これも
勤務のうち
パトロール
だからな
フェラーリで
パトロール
ねえ!

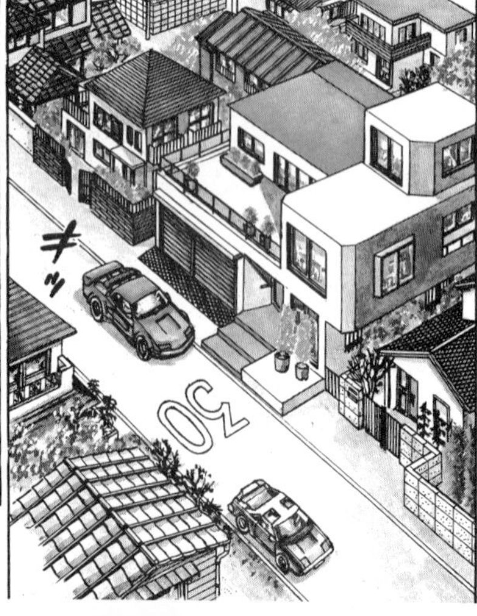
ここが
轟さんの
自宅です
キッ

でっかい
家だなあ

さすが
金持ちの
カーマニアだ!
すげえな
ほとんど
車庫に
使ってる
みたいですよ

何せ
住まいが
外です
からねえ
ぐふ

いやあ
中川くん
よく きて
くれた!
どうも!
しばらく!
車が家の中で
人間が 外かよ
!

勤務中
きみを
よんだのは
ほかでもない
大切な話が
ある
いったい
なんです

コスモ
スポーツの
マットカー仕様が
手に
入ったんだ

それを
みせるために
よんだの
ですか!?
もちろん!
2年がかりで
やっと 手に
入れた品
なんだぞ

そりゃ
ニセモノ
だぞ
なん
ですって
!!

トミカのマットカーはベースが白だそれはアイボリーでノーマルのコスモスポーツの色じゃないか
ただのコスモにマットカー用のシールをつけただけだぞインチキ品だ
よく使う手だホイルやシャーシも旧型なのでうっかりだまされる
くそ〜〜〜っニセモノだったのか
このZのパトカーも白くペイントされたニセモノだぞとなりの2000GTパトカーもインチキ
なんですって！
だいたいトミカでトヨタ2000GTのパトカー仕様なんて作られていないぞ！
ミニカー収集するならそのくらいの知識がないといかんな！
この人ミニカーにずいぶんくわしいな！
おもちゃ研究家としてちょっとうるさい人物だからね
本物の車の知識は人に負けないがミニカーまではしらなかった
先輩ならいいアドバイスしてくれるよ
ミニカーの歴史本物のGジョーの見分け方および入手方法バービー人形の年代別評価価格格安で相談にのるからぜひいらっしゃい
はは
はい

それにしても暑いなこの部屋は…
狭い上に3人もいますからね
車庫に入っててくださいエアコンがきいてますから
まったく車中心なんだな
そりゃもうわが子のような車たちですからね

さすがにマニアだけあってすごい車ばかりあるなあ！
まるで博物館だよ！
ALFA ROMEO 2300 SPIDER
BUGATTI
MG TD

へえ ずいぶん古い車だな…
1925 ITALA
ぐふっ
旧車が多いからうっかりさわれないな
あっいた!
すいませーん テレビ局のものですが取材にきました
なに 取材!?
予定が早まって今日 取材にきたのですがよろしいですか!?
すでに用意してるくせによろしいもないもんだ!
どんな番組なんだよ
「私のカーコレクション」という人気番組です
きいた事ねえな! どうせ わけのわからん女がレポートするやつだろ

このポンコツ買うと高いんですかあ?

ええまあね

パア子
この車に
乗せてくれ
ますかァ？
い
いいですよ

じゃあ
のり……
あら!?
ぎえっ
ガチッ

ボロい車
ですねえ
これ　とれる
ようになってる
のですかあ？
い
いやあ
なかなか
手荒く
扱って
いただい
ちゃって……

早く走って！
200キロだして
くださーい
あの
シート
こわれます
から
ちょっと！

というように
豪雨の中
4時間走り
回された
あげく 放映が
たった10秒と
いう番組じゃ
ないのか？
とんでもない
私たちの番組は
ちがいますよ！

レポーター
だって
レーサーの
福沢さん
ですからね
硬派の
番組です
よし！
いいだろ

これらの車は
みな　我が子の
ごとく大切に
してるもの
ばかりだ
すばらしい
メルセデス
ですね!!

武田信玄が富士スバルラインのコーナーをせめたという由緒あるベンツだマニアから2億で買った
そのころ車あったか？

試乗してるところを撮影したいのですが…
いいとも取材のギャラは忘れんようにな！

今ガレージ開いた音しなかった⁉
したけどきみの先輩がいるから平気だろ
DUNLOP
HON

いるからよけいに心配なんだよ先輩の場合は！

あっ先輩！
おっすちょっとドライブいってくるからな！
ブロロ
ババババババ

大変だ！メルセデスSSKに乗っていっちゃった！
なんだって！
HON

あれは大切な車なんだぞ！
ぼくの車で追いかけよう

さすがに
みんな
ふりむき
ますね
この車！
当然ですよ
貧乏人の
乗る車と
わけが　ちがい
ますからね！
バオオ

遅いな
前の
パトカーめ
おーい
どけよ！
ノロノロ
走ってんじゃ
ねーよ
パトカーに
クラクション
鳴らしてる
ドライバーが
いますね
まったく
どういう
やつだ

あーーっ
部長！
あっ
両津!!
なんで
こんな
ところに
!!
やべえ
!!
まて
こら！

追え！
追うんだ!!
ファン
ファン
ファン
あの車をつかまえろ！
パトカーに追われてますよ！
面白い撮影を続けろ！
いた！先輩のメルセデスだ！
あれ!?パトカーに追われてるぞ!?
中継車が追いつきませんからもっとゆっくり！
だめだ！つかまったら懲戒免職にされちまう!!
止まれ
うぎゃあ前!!
うおっ

うひょっ!!
チッ
KEPLA
とことん追え!!
ひゃあーっ
すごいカーチェイスですねディレクター!
フィルムは回し続けろ!

いい加減にしろ！おまえら！
わしの家をジャンプ台にするんじゃない！

千葉のゴルフ場

署長バーディチャンスですよ！
うむそうだな

天気もいいし青い空と緑の芝
おまけにコンディション最高

さて一気にトップへとおどりでるかな
署長がんばって！

げっ

なんだ！この車は！
うわあーーっ

ドシャ
穴がふさがってしまった！
あっ止まった！

とうとう追いつめたぞ さあついてこい
部長！これには深いわけが……！

ひょっとしてうちの署の大原くんじゃないか？
げっ署長！

★週刊少年ジャンプ1985年43号

東京散策!?の巻
PLAT DE NICE
CUISINE MEDITERRANENNE
NO

それじゃ そういう事で 引きつぎの方 よろしくお願い します!
うむ 明け番 ご苦労 だったな
部長 来週 派出所の 旅行どこに 行く事に なったん ですか?
それは 来週の 楽しみに してくれ
わかりました お先に 失礼します

そうか
今回はわしが
旅行幹事
だったんだ
ブロロロ
すっかり
忘れて
いた…
困ったな
今週は
会議で
忙しくて
とても……
ん!?
そうか!!
勤務が
終わったら
話があるから
ちょっと
待っていてくれ
は
はい
いいです
けど…
突然
なんの話かな?
嫌な予感が
するなあ?
個人的に
呼び出すなんて
変ね!
クビか減給か
配置転換って
所じゃないの?
ロクな
ものないじゃ
ないか!

えび道楽
川魚
エビ
ろばた焼
道楽
ろばた焼
えび道楽
安い!

なんですか？部長！大切な話って？
まあいいからもう一杯飲め！

いやあ最近 両津はしっかりしてきたな
ブーッ

突然ほめないでくださいよびっくりするじゃないすか！
ゴホゴホ
いやすまんすまん

その優秀さを買って！秋の旅行幹事はお前に頼もうと思ってな…
えっ幹事？いつ旅行いくんです？

ちょっと迫ってな4日後なんだが……
え――っこの旅行シーズンじゃもう無理ですよ

もっと飲みなさいぐーっとねいっぱい用意してあるから
こりゃどうもはは！

まっ捜せばない事もないと思いますがね！

旅行の積み立て会費も天引きを忘れてしまってね予算が一円もないんだが……

そんな！どうやって旅行いけというんです!?
ほらほら飲みなさいこの酒は特級だぞ
まあ……そうですね
金なんざなけりゃないでなんとかなるもんですよはははは
さすが両津しっかりしてきたよ！うん！うん！
えっ!!旅行は東京見学ですって!?
その通りわれわれの住むこの東京を見直そうというのが今回の旅行の主旨である
身近すぎて知ってるようで意外と知らないのが東京！首都を守る警視庁警察官としてどこでも地理案内できなければいけない！
ぼくもほとんど海外で生活してきたから東京はあまり知らないな
わたしも神戸育ちだからそれほど詳しくは……

そうだろ!
わしにまかせなさい
東京にいた進駐軍からコカコーラをかっぱらって日本で最初にコーラをのんだ少年といわれるこの私に!
キャデラックに乗ったマッカーサー元帥にピースサインを出したのもこの私だ
本当ですか?

そういう訳で秋の旅行会は東京見物に決まったのだ!
そうですね部長!
うむ
たまには趣向が変わっていいだろ
いいアイデアだ!

当日は朝8時に上野京成聚楽前に集合
なお各自お米を2合持ってくる事いいね

わざわざお米をもってくるの?
うーむ
まるで昔の小学校の遠足みたいだ

聚楽
P 駐車場
上野 のれん街
ARCADIA
上野松竹

いやあ
みんな
集まってるね
上野のれん街
それじゃ
出発
しようか
え!?
歩いて
ですか?
もちろん!
歩くのは
健康にも
いいんだよ
きみたち!

左に
見えるのが
西洋美術館
昔 ミロのビーナスを
飾ってあった所
だね……
ガヤ
ガヤ
ゾロ
ゾロ

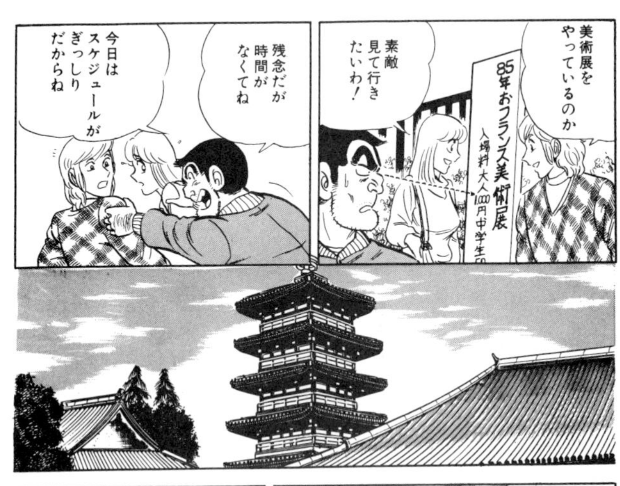
美術展をやっているのか
85年おフランス美術展
入場料大人1000円中学生50
素敵見て行きたいわ!
残念だが時間がなくてね
今日はスケジュールがぎっしりだからね

ここが有名な浅草の浅草寺だ
あれ皆さんどうかしましたか?
上野から浅草まで歩けばどうかしますよ先輩!
ぜい
ぜい
ぜい
ぜい

のどもかわいたしどこかで休んで行きましょうよ！

仕方ないな！

じゃあの公園で水でも飲んで休む事にしよう

上野公園を回って墨田公園浅草公会堂花屋敷遊園地浅草寺……えーと次は
まだ歩く気ですか？もう勘弁してくださいよ
タクシーを拾って行こうぜ両津

まあたまにはこういう旅行があってもいいじゃないか

今日の部長バカに両津の肩をもつなあ
変ですねえ！

両津今夜泊まる所はどうする気だ？
ちゃんと考えてありますよ

予算が無いんだぞまさか野宿じゃないだろうな？
おまかせください悪い様にはしませんから！

花や

さーて
ゆっくり
休んだ所で
今度は
六区を
案内しま
しょう
さあ
出発！

今日一日
お疲れ様！
今日は　ここに
泊まります

先輩の
実家じゃ
ないですかっ
そう
観光地に
あるから時どき
外人向けに
民宿やってん
だよ！
よろず屋

えっ⁉
ここは⁉

いよう
元気に
してるか！
俺だよ
俺！
あら
勘吉じゃ
ないか
どうしたん
だい？

今日6人 ここに泊まるから よろしく 頼むぜ!
どうも おじゃま します!
な なんだ いきなり ?

そんな所で 競馬の予想 なんかしてんなよ みっともねえ! 向こういけよ 親父
何事だ!? 突然 大勢 連れてきて!
成り ゆきで そうなっちゃ ったんだよ
秋の旅行会で 東京見物に 来たんだよ 一泊でいいから 頼むよ!
東京見物!? 何考えてるんだ お前ら!?

前もって言ってくれりゃいいのに！食事だって用意してないよ！
米を各自もってこさせたから大丈夫だそれを使え！
どこで寝るんだうちは二間しかないいんだぞふとんもないぞ
本田を台所に中川を風呂場にねかしてもまだひとり余るな！
そうだ！親父いつもの飲み屋に行って明日の朝まで酒のんでろよそうすりゃ数が合う！
ばかなこというんじゃない！
それじゃ浅草に今度でかいホテルが建っただろ！そこで一泊してこいよ
いいかげんにしろ！
食事のおかずはどうするんだい6人分もないよ！
鍋物にしてくれ鍋ならなん人でも平気だ
鍋ったってロクな物残ってないよ
心配いらんちょっと待ってろ！
皆さん米と一緒に食べ物をひとつ用意する様に申しましたがもってきましたか？
もちろんもって来たぞ！
てめえらゆるせねえ！たたっきる!!

メロンをもってきた
ずん

そんな物鍋物の中に入れられますか!
食べ物を持ってこいといったからもって来たんだぞ

そうよ!わたしの持ってきたのはクッキーよ!
ずる

ずん
僕アンパンと三色パンとフランスパンもってきたけど……

もう面倒だ!全部鍋の中にぶちこんでやる!
つくだ煮
よろず屋

そろそろ煮えて来たね
グツ
グツ
なんかすごい物も入っているな

一度 はしをつけたものは絶対に食べる事！わかりましたね！
なんだ？チョコレートが入ってるぞ
うわっミカンが丸ごと入っている

すいませんね勘吉がメチャクチャな鍋物にしてしまって！
いやあお母さん！たまにはいいですよ
なあみんな！こういう鍋も楽しいな
は…はい
そう…ですね！たまには…

部長さん勘吉のやつが真面目に働かなかったらぶっとばしてくださいよ
余計な事言うんじゃねえよ！

言ったっていいだろうが!!
なぜ「ハイ」のひと言が言えないんだ頑固者!
大きなお世話だ!!このバカヤロウ!
ぎゃあ!あっちち
うわっ
やりやがったな!
てめえこいつ!
やるかこの!
みんな逃げて!!
隣の部屋に隠れて!
このやろう!

止められますか!?
昔っからなれてるから平気ですよこのくらい

えっ部長が予算ゼロで先輩に頼んだ?
そうなんだ! だからここに泊まる事になってしまった

そうだったら来月に延ばしても良かったのに!
そうですよ旅行費用集めてもかまいませんよ
今思えばその方がよかったかも知れんな

しーーん
隣静かになりましたよ……
さすが両津のお袋さんだな

花やしき

狭いですけど我慢してくださいね
どうも! おやすみなさい

先輩とお父さんはどこ行っちゃったんですかね
さあ？わからん

両ちゃんとお父さんは？
心配しないでいいよあのふたりは

へえっくしょん

だれか噂してやがるな
おうもう一本つけてくれ！

それにしても親父よう！おい！

おいってんだろ

あまり
ガバガバ
のむんじゃ
ねえよ！
今夜は
冷える
からな
体温め
ないと
いかんぞ

5千円しか
もらって
こなかったん
だぞ
少しは
考えて飲め

あ！
どうした
んだ
その2万!?
ヒラ
ヒラ

母ちゃんの
サイフから
こっそり
抜いといた！
でかした
親父！
さすがだ
ははは

酒 一升びん
のまま
燗してくれる
はい
はい

ひょっとして
親父
追い出されるの
慣れてるんじゃ
ねえのか？
バカな事
いうな
お前の為に
この金を
抜いてきたんだ

銀さん
今時分
よくここへ
くるよな
ほら
みろ
何いって
るんだ！

勘吉と
こうして
飲むのも
久しぶりだな
そうだな
ほら！
乾杯と！

★週刊少年ジャンプ1985年48号

武士道対騎士道!?———の巻

春の交通安全週間
ブォオオッ

なに!? フェンシング習いにいってるだと!

フェンシングってひょっとして針金みたいな刀を もってこんな風にやるやつか?
そうよ よくしってるわね
スポーツセンター

昔 やっていたんだけど また 興味がわいてきて始めてるの

きしどう
騎士道!?
の
まき
巻

武士道対
ぶしどう
そこの
フェンシング
スクール
女性だけなの
若い人が
いっぱいよ
ずっ
なにっ
ヤング
ギャルが
メニーメニー
だって!?
あきれた!
仕事
さぼっちゃって
また
おこられる
わよ!
だいたい
日本人は
勤勉実直
すぎるのだ
だから
世界から
ひんしゅくを
かってしまう

その点 わしを みろ 年間200日の バカンスを とっておる! まさに ヨーロッパなみ だぞ! ははははは

日本人が みんな 両ちゃんみたい だったら まだ 戦後の焼け跡の ままで 生活してると 思うわ

フェンシングって たしか オリンピックに あったよな!
えっ

へえ 意外と よく しってる じゃない!
東京 オリンピックの時 フェンシング 人形を もらった 覚えが ある!

ペプシコーラ買って フタに当たりと あると オリンピック種目の 人形が もらえるんだ これを 集めるのが はやってな……

毎日 コーラ10本ずつ のんで 全種類を 集めたんだぞ すごいだろ! たちまち 学校の ヒーローだ! 次の日 一体千円で 全部 さばいて しまったがな
その頃から もう商売上手 だったのね!

ここが習っているところよ
お上品
スポーツ
センター
でかいビルだな
乗馬
フェンシング
ヨットクルーズ
射撃
正しいベンツの乗り方
グランドピアノのひき方
なるほど金持ちらしい上品なものばかりだ
もはや テニス スキー ゴルフは大バーゲンをやるほど大衆的になってしまったからなかいてない！
こっちよ

今日はずいぶん多いわね
ほう広いところでやるんだな

先生は まだ いらっしゃって ないの！
少し 遅くなるって いってたわ
じゃ 着がえて くるから まっててね
おう わかった！

うーむ フェンシングって 本当に お上品な スポーツだな

軽井沢の別荘の 広いガーデンで お金持ちの お嬢さんが やっている イメージだな うん！

ガバッ
ふう

お金持ちの お嬢さんと いっても必ず 美人とは 限らん！
あれは 映画の中だけ 現実との ギャップが でかい！

おっ すごい 剣が たくさん あるぞ どれ！
ほう けっこう 重たい もんだな

その剣は本物です勝手にさわってはダメですよ
うるさいのがきた!
ちょっとぐらいいいだろ!
きゃあ――っ

おっいい音こりゃおもしれえ
たあーっ怪傑ゾロ参上!
ガリガリ

しまった!先が曲がってしまった!
何やってるの?そこで……
いえ…別に何も!
あっかっけえ!バッチリじゃんまるでアンドレ・ザ・ジャイアント!!
なーにそれ!?
いやもといベルバラのアンドレそっくり!

その剣は 先生のコレクションで数10万する物ばかりだから触わっちゃだめよ
もももちろんですとも
やばいちゃんと直しておかないと
はふっ
パキーン
グイグイ
これだけ長けりゃちょっとくらい短くなっても気づかんだろそっと しまっておこう!
バタッ
あっ先生がきた!
ボンジュールマドモアゼルお待たせしました!
どこかでみたようなツラだな
キャー
ア・タンペルデュ
クードロワアン・マルシャン
おまえ 以前「交剣知愛2の巻」で出てきた佐々木小痔郎じゃないのか!
何をいうのです!!
パラードコントル

私の名はピエールです
リカちゃん人形のパパと同じ名前だな
みろ!金髪にしてヒゲをつけただけじゃないか
小痔郎
ドゥザペルプレパラション!
私はピエールですおフランスのピエール・ゴンザレス!フェンシングの剣士!
たしか小痔郎も剣士だぞ共通点が多いな
今日も前回に引き続き試合をやりましょう

試合かおもしれえ!剣道と同じで2本先取すれば勝ちか?
フェンシングの場合は5本トウシュすればいいのよ6分間のうち先にね!
選手の人たちコードつきのジャケットを着てるでしょう
うむなんだ…あれ?
メタル製のジャケットで剣の先が触れるとランプがつくのよそれが有効打になるわけ
ほう

始まったわ
いいみていいて!
チャッ
ねっ今ので一本よ!
なるほど
パッ
剣道の突きだけみたいなもんじゃん簡単じゃねえか!
つっつくだけなら別に習うほどのことないよ
両ちゃん!!
ピクッ
おぬし!フェンシングやったことあるのか!
ないよ全然
きなさい教えてやるから
タダで!それならちょっくらやってやるか

うへ――っ
ここから
出ちゃ
いけないの？
ずいぶん
狭いな
持ち方が
違うわよ
人指し指と
親指で持つの！
あと3本は
軽く…こう！
えっ!?
これじゃ
ブラブラ
しちゃうよ
いいから
わしの
好きなように
持たせろ
！
じゃまだ
シッ
シッ
要するに
あのおじさんを
5回つっつけば
いいんだろ！
楽勝だよ！
用意が
できたら
かかって
きなさい
！
そうか
試合時間
6分しか
ないからな
それじゃ…
パラード
カルト!!
まず
一本
いただき
！
あっ

トウシュ!!
ドドッ
うわっ
ビィィン
いてっ
ダァーン
どうした もう 終わりか!
本気で やりやがったな ちくしょう!!
ちくしょう 覚えていろ!!
騎士道を 甘くみると そういう 目にあう
みた通り 心が腐っていると 剣も腐る! わかったね あの男が いい見本だ!
サンプルに されちゃった もう 困った人ね!

ガラッ
あっ
わざわざ署まで防具をとりにいったの？
その通り!!
そっちが騎士道ならこっちは武士道だ!!これで五分と五分!!
さあ勝負しろ！
竹刀の先に電気コードをつけてメタルジャケットを着れば戦える！
もうめちゃくちゃ！
いいだろアレー
アン・ガルト
さあこい！これで負けたらわしも負けを認める
なめとるのか……こいつ！
おりゃあ！
こい!!

おっと
どっこい
だあーっ
あっ
ちょっと 待て
これじゃ
試合が
できん!
待てと
いっとる
だろうが
!!
男の勝負に
待ったは
ない!!
ぐえっ
けりを
入れやがったな
それが
騎士道か!?
こんな
剣で
できると
思うのか!
やる気に
なれば
どんな物でも
できる!!
トウシュ
アンギュ
レール
クー・ド・
ポアン

足四の字固め!!トウシュ
リポストドポジション
アルトアルト!
どうだ武士道のが強いだろ!
わかったわかった
どこが武士道なのよつれてくるんじゃなかったわ

あっ警察官が!?
怪しい者はいないか!
このビルに強盗犯人が逃げこんだはずだ!
ドヤドヤドヤ

この男が犯人じゃないのか?
ばかっわしは警官だ!

ここには練習生しかおらん!
よし上をさがしてみよう

あんた本当に警官なのか?信じられん
悪かったな!大きなお世話だよ!

ちくしょう
出口を
かためられて
これじゃ
逃げられん
まいった
まいった
とんだ男が
きたものだ
!
WC
ガキ
エペ!
こいつに
なりすまして
ビルの外へ
出よう!
ここに
隠れてると
いつかは
みつかる
からな!
マスクを
してりゃ
気づく
まい!
あっ
先生!
先生を
みつけて
きたわ!
試合
どうします
先生!
みんなが
まってますよ
早く
もどって
ください
あっ
持ち方は
こうか!
そうよ
軽くね

ねえ
せん……
きゃあーっ
先生じゃ
ないわ！
えーーっ
ちいっ
ばれた
か！
どけ！
どかないと
たたっ斬る
ぞ！
きゃあ
ーっ
きゃあ
ーっ
うっ
逃がさ
ないわよ
どけと
いってる
だろうが
！
てめえ
！
あっ

大学時代
選手権に出た
ほどの腕だぜ!
おとなしく
そこを
あけろ!
ちょっと
まて!
なにっ
真剣の
勝負なら
俺の出番だ!
麗子は
どいてろ!
なんだ
きさま!?
気を つけて
サウスポー
よ!
基本を
しらんから
全然
関係ない
チャ
やろう
どけっ
ザ
きゃあ
—っ
うわっ

身の軽さで
わしの勝ち!
奇襲攻撃は
わしの
得意技だ!
やっ
たあーっ
えっ
わしが
先生!?

あなたの
二刀流は
じつに すばらしい
私と協力して
フェンシング二刀流を
全世界に
広げましょう
ぜひ教えてください
あれは
適当に作った
やつだって!
人になんか
教えられないよ
!

★週刊少年ジャンプ1985年27号

洋上モトクロス！の巻

おい 海の上にでてしまったぞ レース場などこんなところにないじゃないか
心配ありませんよ もうすぐ着きます

まさか海に イカダを浮かべて走るんじゃないだろうな
ぼく泳げないからだめですよ〜〜〜

ほら！もうみえてきました！

洋上
モトクロス！
の巻
YAMAHA
SIDECAR
MX
Ryotsu
SPECIAL

AXO
100%
DAXLIGHTER

空母の上で
レースを
やるのか!?
MOTOCROSS GP

あっ!!
うわあ大きいなァ
たしかにここなら音がうるさくならないからレースにはむいてるな

よっこらしょっと!

空母の甲板はずいぶん広いんだな
全長が343メートルありますからね

ふえ——っ

ここに土を　まいてスーパークロスみたいにコースを作るわけか！
ゴオオ
そうですもう少し時間が　かかりますから準備して待っててください
楽しそうですね
両津・本田のゴールデンコンビで絶対一位とろうぜ
うおっ
なんだこのジェット機は!?
ビイイイイ
なるほど待ち時間をR・C（ラジオ・コントロール）で遊んでるんだな……
ビイイーン
空母の上で艦載機をとばすとはリアルでかっこいい
本当ですね
やはり　あのさっきのトムキャットが一番リアルですよ
キイイン
離陸してきたな！

キィイイ
プロポーション
といい
機体の色つけ
なんかも
じつに うまい
!
とても
R・Cとは
思え……
…ない
ような
気が する…
キィイイイン
うおっ
本物だ!
キュ キュ キュ
707

まいったな！ まだ 一機 もどって いなかった のか!?
気を つけろ！ もう 少しで ぶつかる ところだぞ！

甲板は あぶない！ 中で着がえて 待ってよう
その方が いいです

それじゃ 艦上サイドカー モトクロス レースを 始めます！

ここから スタートして このラフロード コースを 5周して ここに もどって きます

さらに この橋を渡り むこうの船の 艦橋に 先に のぼった グループの 優勝です
ぶ
YAMAHA

戦艦武蔵じゃないか!! どっからあんなもんもってきたんだ!?
ちょっと借りてきましてね!
この空母といいいったいどこから借りてきたんだあいつは!
スタートラインについて用意してください
わしが運転してやるからな! しっかりしがみついていろよ!
海におちないようにお願いしますよ
ドドド
スタート
そりゃあ一気にトップ!!

参加バイク40台早くもトップ争いがつづいてます
艦上モトクロスコース説明
5連ジャンプ
現在地
ヘアピンカーブ
スタート位置
悪路
巨大4連ジャンプ
ゴール
武蔵の艦橋までバイクでのぼる！
立体交差
200mストレート
トップグループが艦橋の前を通過していきます
さてここが第一のみせ場です
あぶない！スピードをおとして！
なに！

うおっ
道がない
!?
うわっ
ヴォォォ
ドオ
ぎゃあ
──っ
やばかった!
艦橋にかくれて
いきなり
あんなコースが
でてくるとは
!
わざと
エレベーターが
さげて
あるんだよ
おしい!
たったの
4台しか
おちない
!!
別名
サバイバル
レースと
いわれる
この艦上レース
さて 何台
おちるか!?
先輩
海に
おちないよう
注意して
くださいね
あっ
中川
ぬきやがっ
たな!
てめ──っ
先輩を
だしぬき
やがって
!!

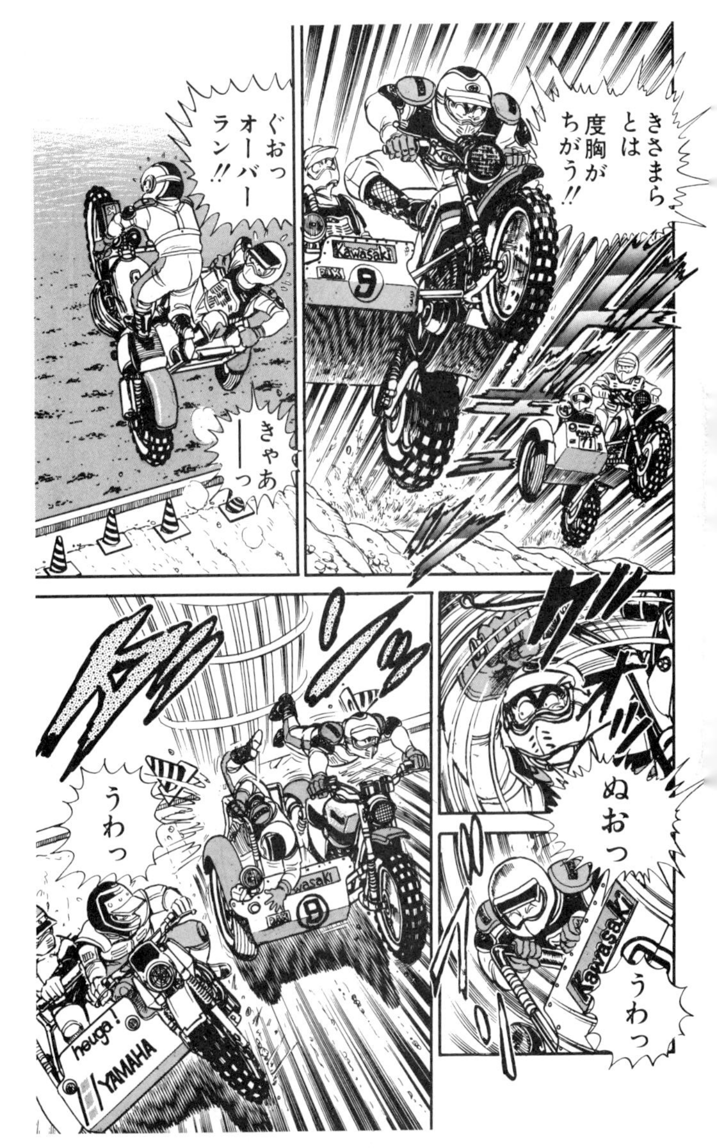
きさまらとは度胸がちがう!!
ぐおっオーバーラン!!
きゃあ——っ
Kawasaki
ぬおっ
うわっ
うわっ
heuga!
YAMAHA

みたか!!
恐怖の空中方向転換!!
もう二度とみたくありませんよ!!
広いといっても走れば狭いコースですからね!アクセルワークを気をつけてくださいよ!
わかっとる
…といってる間にまたヘアピンカーブだ!
きゃあ——っ
ぐわっ
バカヤローッぶつけやがって!
ぎゃあーっおちる!

本田
しっかり
つかまってろ
は…はい
バシャッ

ガガッ
ぬぬっ
こんちく
しょう！

ベキベキ
うぎゃっ

バカッ 人が
いるんだぞ
!!
もっと
注意して
走れ！

先輩〜〜っ
早く
助けて〜〜っ
わかってる
よ!!
うるせえ
な！

おまえ
重いから
ちょっと
手を 放せ！
うえ〜〜ん
やだ〜〜っ
海に
おちちゃう
よ〜〜〜っ

くそっ とんだ ハプニングで 最下位に おちて しまったぞ
ぼくが 運転かわり ますよ!
遠慮なく スピードだせっ わしが カバーーして やる!!
お願い します!
よっしゃ いけえ!
ゼッケン9 すごい 追いあげ! しかし これでは カーブ曲がり きれません!!
Kawasaki
9

どすこい！
うわあ――っ
おっとっ今度は右カーブ！
ぐわっ
見事クリアー!!
どんどんいけ！
OK!!
卑劣な手を使って追いあげるゼッケン9!!
しかし先頭グループはラップを終わり戦艦に　むかっております！
KAWASAKI
DAX
9
K

本田 ストップ! みてみろ!
先頭グループは すでに 艦橋を のぼり始めて いるぞ! 間にあわん!
ズザザ
じゃ どうするの? あきらめる しかないよ
ちょっと まってろ!
バッチリ 2秒で 艦橋に つくぞ!
え――っ まさか!
ちょうど カタパルトが 艦橋に むいている チャンスだ!
えーっ まさか それで!?
一位に なるには 多少の危険は 覚悟せねば ならんのだ
やだ! やだ! やだ! やだ!
ひえええ――っ

シュポーン
あっ
なんだ
ありゃ!?

えーっ
今のは
先輩たち
だって!?
はい!
つい……
おどかされて
しまって……
むこうの
カタパルトだと
全然 方向が
ちがうのに!

先輩!
ぼくたち
いったい どこへ
いくんですか?
帰りましょう
よ~~~~っ!
わしに いっても
しらんよ!
このクジラくんに
直接 相談して
みろ!

★週刊少年ジャンプ1985年30号

パスポートあります！の巻

ガイド

パスポートあります!の巻(まき)
PENTAX

ばかいっちゃいかんよ
独身の女性といっしょに海外旅行へいくわけにはいかんよ！
ケチねえ！

そうだ中川はどうだ？
来週は休暇を とってカナダの別荘へいく予定なんですよ

うーむほかにだれかいないいかな
ゴホッ
オホン
ゴホン

そうだ！寺井はどうかな
寺井さんですか？

旅行はもう来週でしょうパスポートの手続きが間にあうかどうか！
そこなんだ海外旅行のめんどうなところは！

両ちゃんどこへいくの？
ちょっと用事を思いだして！

先輩はどうですか？
バカいっちゃいかん！なんであんなのといっしょに旅行しなきゃならんのだ

トランク
ポーターとして
わりきれば
役に立つと
思うわよ
そのかわり
食事の量も
人の3倍だ!
あいつは
ダメだ!
いいか
10分たったら
派出所に
電話するんだ
だぞ
うん
わかった

いやあ
今日は
天気が
いいねえ
ポト
先輩
おちましたよ!
えっ

おっと
パスポートじゃないか!
つい
うっかり
おとして
しまった!
アメリカ
研修旅行の時
申請したから
あと一年
有効
だったな…
いつでも
海外旅行へ
いける
わけかあ
なるほど!!

寮までパスポートとりにいってたのね！
顔に似あわず芸の細かいやつだ！

中川 おまえニューヨークいった事あるよな
ええありますよ……

こないだも日本人旅行者が殺されたらしいぞ中年男性のひとり旅だってよ！ホールドアップされて！
まだまだ治安の悪い地区がありますからね！

初めての海外旅行だったんだってよ
ベテランの人といっしょにいっていればそんな目にあわなかったのに

わしなんかアメリカで一ヵ月暮らしてたじゃん！どこの地区がやばいか ひと目でわかるからな！
そうですか！

いくら柔剣道の心得が あっても拳銃がフリーな外国じゃあなズドンと一発であの世ゆきだからおそろしい話だ

麗子くんイタリアなど治安は大丈夫だよな！
そうねえ

インフレだからスリや かっぱらいも多いわね治安も不安定だし……
えっ!?

部長海外旅行いくんですかあ?
ちーとも知らなかった
ま まあな!

旅行会社のパックで添乗員もついていくんだ心配ないよ
ははは
ほう

パック旅行でひとりだけで参加した人が集合時間になってもこず一ヵ月後に死体となって発見…今日の朝刊にのってたな
そうでしたか?

部長はもちろん英語はペラペラでしょう
いやほとんどわからん!

じゃイタリア語は?
全然だめだ!

驚いたな!神をもおそれぬ人だ!どうやって会話する気なんです
イタリア人は血の気の多い連中ですからちょっとした誤解でどんな目にあうかわかりませんよ!

よし 10分 たった!
おもちゃ プラモデル 金町
スペースインベーダー
エアガン
人生ゲーム

買い物の時 日本語しか しゃべれず いらついた 店員に いきなり なぐられた人も いますからね

なんの 電話だろう いったい?
はい こちら 亀有……

オーッ ハロー ハロー
グラッツェ ミケラン ジェロ!

オーマイ スパゲッチ ランボルギーニ カウンタック ドカティハ カジバニナッタ アルヨ
オーイエ! ソフィア ローレン ラッタッタ!

それじゃ モトグッチ ロベルタ!
アディオス セニョリータ ダビンチ!

ガチャ
私の友人で イタリア人の ガリレオ ゴンザレスから でしたよ まいったなァ
イタリア人に しりあいが いるのか?

大阪生まれの日系四世のイタリア人ですがね
ウソッぽいな！
自分でいうのも大好きですが海外旅行には頼りになる男ですよ私は！
キリッ
一か月のアメリカ生活を生かし「どんとこい海外旅行」という本をだそうかと計画中です
中川ちょっと
えっ
両津をつれていった方がいいと思うか？
そうですねアメリカ研修を豪語してるけどそれ以上に得がたいものがありますよ
外人だろうと宇宙人だろうとどんな物に出あってもビクともしない心臓とすわった肝っ玉です
うむ！たしかにそれはいえる

英語が話せるとかいう次元の問題じゃないんです！たとえ旅行中道に迷っても心配ありません
拳銃をもった暴漢でも先輩は数かずの修羅場をきりぬけてきたんですからね相手が5人までなら平気でしょう
ボディガードとサバイバルをかねて同行してもらえば旅行費以上のメリットがあると思いますよ
バカとハサミは使いようってわけか……

両津
おまえ
ヨーロッパ旅行
いきたいか？
えっ
あっしが？

ちょっと 急で
来週から
10日間
なんだが…
ちょっと
おまち
ください！
ガタッ

なにせ
私も忙しい
身の上！
スケジュールを
みないと…
パラ
パラ
えーと
来週の
予定は…

まいったな
署長とゴルフ
…で会議
いろいろ
あるなァ！
ピシャ
うーむ
しかし
ほかならぬ
部長のため
だし……

もういい
わしひとりで
いく！
あっ
部長
大丈夫
いけます
！

ちょうど
有給休暇も
たまってたもので
来週使おうと
思ってました！
有給など
2月で全部
使いはたした
だろうが

ただで
ヨーロッパ旅行
つれてって
頂けるだけで
ありがたき
しわよせ！
ペコ
ペコ
初めから
そういう
態度で
いれば
いいのだ

どんなところ旅行するんですか？
たしかこのパンフレットにでてたな…あったこれだ！

イタリア ローマ フィレンツェ フローレンス ベネチア ベニス パリ フランス すげえ 8か国もいくんだ！
ちょっと

全部で 2か国でしょう
どうしてだよ ちゃんと 8か所あるだろ

フランスの首都がパリよ イタリアの首都がローマじゃない フィレンツェや ベニスも イタリアよ
首都がどうとか 社会科の授業みたいに いうんじゃない 頭痛くなる！

日本の首都は しってるんで しょうね!?
こらっ そういう バカにした きき方は やめろ！

日本の首都は 東京に きまってるじゃ ねえか！
さすが ですね

要するに 首都高速が 走ってるとこが 首都だ！ パリも きっと 首都高速が ある！

いい！ちょっとこの地図みて！
また地理かよいつもこれだ！

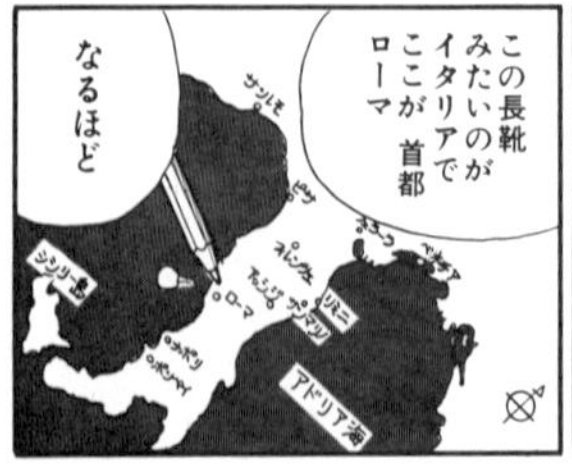
この長靴みたいのがイタリアでここが首都ローマ
なるほど
リミニ
サンマリノ
ローマ
アドリア海

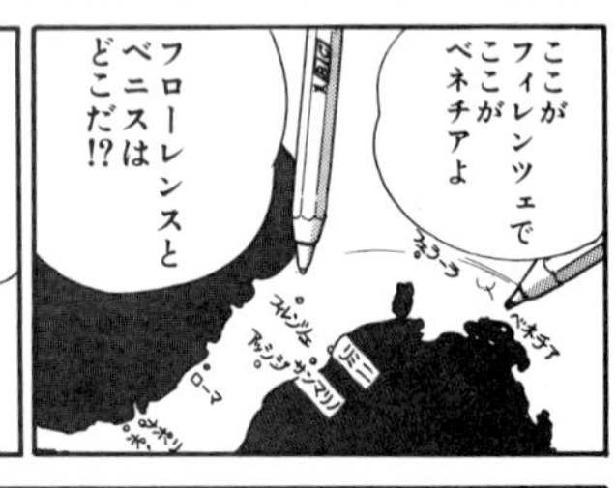
ここがフィレンツェでここがベネチアよ
フローレンスとベニスはどこだ!?
ベネチア
リミニ
サンマリノ
ローマ

ここがフローレンスでここがベニス！
そこはフィレンツェとベネチアじゃないか！
ベネチア
リミニ
サンマリノ
ローマ

同じなのよイタリア語でフィレンツェベネチアと読むから…
ンなバカな話あるか！サギだぞいく場所がふたつ減っちゃったじゃないか！
このパンフレットインチキだ！

先輩！ジャイアンツと巨人軍は同じですよね
そうだよ…

巨人 阪神戦とジャイアンツ タイガース戦は別べつに試合しませんよね！それと同じです
うーむなるほど一理あるな！

あんなので理解しちゃったの？
身近な物におきかえた方が　わかりやすいからね

先輩はがん固なとこがありますから取り扱いに注意してください
あいつとは10数年のつきあいだ扱い方は大丈夫だ！

あいつ　旅行用トランクをもってるかな？
おそらくないでしょうアメリカ旅行の時も　ふろしきひとつででかけましたから

おい明日　おまえのトランク買いにいくぞ
えっ

けっこうです荷物少ないから紙袋に　つめていきますから
HOBBY POST
HOBBY

バカモノ今回は　わしもいっしょなんだぞハジを　かかす気か!!
出発前から思いやられるな

世界のオートバイディスカウントセール
モデルガンサマーセール 8F特設会場
コンバット

ずいぶん混んでますねえ
海外旅行用品
ガヤ
ガヤ
お金の入るネクタイ
新婚旅行のシーズンだからな

パスポート用写真室
HAWAII
両津これなどどうだ?
ゴロ
ゴロ
あまり丈夫そうじゃないなあ!

外国の飛行場じゃトランクを放り投げますからね! がん丈なやつじゃないと
なるほどさすがみるところがちがうな

おいおいそこまでやるのか
高い品だからこそ納得するまでやらねば!

もう いいだろ それに きめよう
ドカ ドカ
まだ まだ
でえい ーーっ
会計
だめだ この程度で 止め金が こわれるようじゃ 不良品だな
お客さん なんって事 するんですか！
丈夫な トランクを さがしてる んだよ！
ためさないで ください 私が 捜し ますから
このアルミ製 トランクなら 大丈夫ですよ
ガチャ
本当か!?
あちょ!!
げふっ
なるほど たしかに 丈夫だ！
こらっ 両津!!

2万円以上もするんですよ おいそれと買うわけには……
いいかげんにしろ！ 早くきめるんだ

じゃ これにしよう おい この トランク買うぞ
ひいーっ 助けて〜〜〜〜っ

なるほど 海外旅行での盗難よけに いろんな物がでてるんだな
外国での強盗に注意。
ヒミツのボウシくん
ホルスタータイプ パスポート入れ サイフも入ります
くつぞこに20万円 絶対わかりません！ ヒミツ
TV放映中
ベルト式サイフ これで安心 30万円入ります
はらまき式 サイフ パスポート入れ
パンツに10万円
シークレット3連ポケット
こりゃ本当に気をつけないといかんらしいな！

ポケット10個付Yシャツ
ぬいぐるみ式サイフ入れ
両津に金をあずけるのが一番 安全だ
強盗などあいつがやっつけてしまうからな ははは

まて！ あいつ自身が金を 使ってしまうおそれがある！
やはり わしが管理しないと だめだ！
ベルト式サイフ これで安心 30万円入ります

どちらへ おでかけです お客様
ヨーロッパへ いくんですよ 10日間の ツアーで

ドライヤーや 充電式ヒゲソリなど おそろえになりましたか？
えっ 日本製のじゃ 使えないのか？

残念ながら
使えません
こちらの
品でしたら
世界中
どこでも
使えます
ワールド
ひげそり
世界の国で使用

なめんなよ
このやろう
ペテン師め
!
グイ
何するん
です!

わしらが
初めてだと思って
なめてやがるな
わしが アメリカ
いった時は
ちゃんと
使えたぞ!
アメリカでは
電圧が
異なりますが
使えるんですよ

いいわけ
しやがって
てめ〜〜〜っ
みてください
ヨーロッパでは
国によって
コンセントの
形が ちがう
んです!
コンセント一覧
ワールドタイプ
オーストリア
フランス
ドイツ
イタリー
タイプ
イギリス
アイスランド
ホンコン
タイプ
オーストラリア
ニュージーランド
フィジー
タイプ

ウソを つけ
コンセントなど
万国共通
だろうが!!
ちがいますよ
本当なんです
共通じゃ
ありませ〜ん

ああいう人が
海外で日本の
評判を 悪く
する原因
なんだよ
日本から
だしたく
ないね

旅行当日

気を　つけて旅行にいってくださいね部長さん!
うむあとはよろしくたのんだぞ
それにしても先輩遅いですね
うむここから成田まで2時間近くみとかんといかんからな
パスポートや航空券はわしがあずかっているとりあえず心配ない
両ちゃんだとなくすかもしれないものね
もう一度寮に電話してみます
まったく困ったやつだ…
あっ
よう!今日のパチンコバカつき!大勝利だぜすげーだろ!

★週刊少年ジャンプ1985年37号

ローマのふたりの巻
PIAGGIO
vespa

レオナルド
ダビンチ空港

イタリアに
到着
いたしました
皆さん
お疲れさま
でした!
うしろのバスで
これからローマの
市内見物にいき
午後　ホテルに
チェックインします
団体行動
ですので
添乗員の私に
したがって
ください!
では　バスに
どうぞ!

20時間近く
機内に
おしこめられて
いたから まだ
頭がボーッと
してるよ

私なんか
警官姿のまま
だから
機内での注目度
100%ですよ
ふう
暑いな
イタリア
は!

ブロロロ―ッ

ANGE

RERFECI
PENEDICTVS XIV
RONMAX
ここがトレビの泉です
ギッ

この泉にうしろむきにコインを投げ入れるとまた 再びこのローマにこられるといわれています
映画ローマの休日でも……
ちょっと!コインを拾うのはやめてくださいっ
バカ者!日本人のハジだ!おまえは!
あいた!

両津 泉をバックに写真をとってくれ!
まったく日本人の典型なんだから
ペラ ペラ ペラ
え!?
ふたりの写真をとってくれるといってるんじゃないのか!?
なるほど オー サンキュー メルシー
おまえ本当にイタリア語話せるのか?
あいつはイタリア風ドイツ人ですよ
あら?
このあたりは盗難が多いから皆さん気をつけてください
しまったやられた!!
カメラがないと旅行ができんぞ!
あのやろう!

くそ！人が多すぎる!!
なんのっ
パ
ダッ
オーッ
OH
パコッ
逃がしてたまるか!!
あっやつめ逃げやがった
警官から物をとるとはとんでもねえやろうだ！
バッグなどとられないようこういう風にたすきがけでしっかり守ってください
おうカメラは無事だったな
もう一歩でとり逃がしましたよ！

HOT
お部屋のキーをもらってきますのでそこで休んでいてください
ホテルの中も暑いですね部長
今回の旅行は警察官の方が同行されてるので心強いですよ
ははは何かあったらまかせなさい!
あのカップルダンナさんは競輪の選手らしいぞ!
ほうそういえばスポーツマンタイプですな
さっき話しかけてきた方は日本料理の料亭の若ダンナだろ
むこうがお医者さんでとなりが英語ペラペラの弁護士さん夫妻だ
ほう
このグループにいれば安心ですな部長!
ユニークな人が多いからな

添乗員の
人もユニーク
ですよ
スーイ
スーイ
うむ
それは
いえる

明日の予定です
モーニングコール
6時 朝食は
7時30分までに
すませて
8時このロビーに
集合して
くださいね
8時10分に
ここを出発し
ベニスに
むかいます

今日一日しか
ここに
いないの
かよ!
ヨーロッパ旅行は
時間との戦い
ですからね!
一分一秒大切に
使ってください!
タイムイズマネー
です!

はい
カギを
渡します
あと15時間で
いったい
何を しろと
いうんだよ!

部長
さっそく
観光に
いきましょう
おい!
着いたばかり
じゃないか
ひと休み
しよう

ん!
コッ
コッ

なんだ
トランク
ポーターか?
そうだ!

部長！ポーターにチップをあげないとお金を早く！
えっ？チップは旅行費用にふくまれるといってたぞ！

あれはあくまでも建て前！やらないと日本人の恥ですよ
そうかわかった

お金を替えたばかりでどれがいくらだか？
ふたりポーターがいるから2万リラください

オーグラッツェ！グラッツェ！
アディオスバイバイ
グイ

いやあ喜んで帰りましたよふたり！
100リラが14円くらいだから…2万リラは…
ピッピッ

ひとり1400円か！チップは高いな
イタリアは物価が高いですからね当然です
ゴロゴロ

海外旅行の基本はチップから！アメリカで暮した私のいう事を聞いてくださいよ部長！
そうだなそうしよう

じゃ 外へいきましょね！
ひと風呂あびてからだ！
これだから年寄りとくるのはやなんだよ行動力が鈍い！
おーい

これが風呂か!? ずいぶんせまいぞ
日本のひのき風呂とはちがいますよ外国ですからね
横になってこう入るんですホルマリンづけの死体みたいに！
やな風呂だな
それがトイレなのはわかるがこっちのはなんだ
まったく無知なんだから

これは顔を洗うやつですこう！
なるほどそうか！
ビチャ
どうもトイレと風呂がいっしょというのが気にくわんな
ぶつぶついわないでさっさと入ってください
ザー

それにしても
暑いな!
クーラーぐらい
つけたら
どうなんだ
イタリア人
ってのは
大雑ぱ
なんだから…
部長のあと
わしも
フロに入ろっと
フロは
正解だな
さすが
年寄り
ムダに人生
生きちゃいねェ
キャアア
――ッ
あっ
ガチャ
また
ドロボウ
か!
バ
バ
キャッ
あっ
いけね!
401
しまった
オート
ロックだ!
部長!!
あけて
ください
!
ドン
ドーン
今の声は
なんだ!
事件か!
バ
バ

あっ　両津
なんで　裸で
こんなところに
いるんだ!?
いきなり
ドアを
あけないで
くださいよ

あっ
カギが
かかって
しまったぞ
!!
自動ロック
なんですよ!
部長まで
でてきちゃ
ダメですよ

カギは
もって
ないのかっ
おまえ!
この姿で
どこに
カギを
もてると
いうんです

添乗員の
部屋は
どこですか
ひとまず
そこへ隠れ
ましょう
たしか
404号室
だ!

ちょっと
でてきて
くださーい
緊急事態
発生です
!!
ドドン
404

KYAAA
げっ

ちがうじゃないですか！モロみられちゃいましたよ
えーとどこか忘れてしまった

じゃあロビーであいカギを借りてこい！
私スッポンポンなんすよせめて部長のタオル貸してくださいよ
キャー！

はずかしがってる場合か！上司命令だいけ！
ちくしょう！もう恥も外聞もあるか！

キャーーッ！

あやしい者じゃない！カギをくれよ401のカギ！早くしろ！
FRONT
キャアーーッ
キャアーーッ

困るんですよね！

そういう姿で外出しないでくださいここは外国なんですから
好きでこんなマネしたと思ってるのかよ！

これは物のはずみというか…ん？
ガヤ ザワ
ガヤ
いやに大騒ぎしてますね！
何か上であったらしいな
ガヤ ガヤ
あっ風呂の水だしっ放しだ！
なんですって！
それだ！大洪水だあ！
荷物が心配だ急げ！
おそろしいグループをまかされた…無事 旅行ができるか自信がない…
ガヤ ガヤ

シーズンだからずいぶん旅行者が多いすね部長！
ガヤ
ガヤ
ガヤ

写真ばかし とってないで 肉眼で 少し景色 みたら どうです
わかった わかった

わしを とってくれ スペイン 階段の 上でな…
いいす けどね！

ピンボケなど したら給料 減らすぞ！
それより 何か たべましょう ハラ減った！

せっかく イタリアに きたのだから スパゲティーを たべんとな
フィルム2本目 でしょう！ あと8日間も あるんですよ

ねっ！ お酒も 飲みましょう 軽く！
バカ者 昼間から 飲めるか！

おまえは わしの ガードマン として おまけで 旅行に参加 したのだぞ
まったく 図ずうしい

ちょっと
トイレに
いってくる

くそ!!
あたってる
だけに
つらい!
こっちは
一文なし
だからな
カチャ

しかし
あまりと
いえば
あまりの
ことば!
スパイス
たっぷりの
両津
スペシャルの
お札を!
ぜひとも!

ん!?
あいつ
め!

スパゲティー
がきたのか
そう!
熱いうちに
どうぞ

おや
両津の足元に
一万円札が…
ダ
えっ!?
どこ!?
どこ!?

これ
レシートですよ
一万円なんて
ないですよ
そう
だったか

外国で
一万円札が
おちてる
わけが
ないでしょ
……

ぐむう
おや
どうか
したか?
い いえ
べ…
別に!
くそ!
すりかえ
やがった
な!

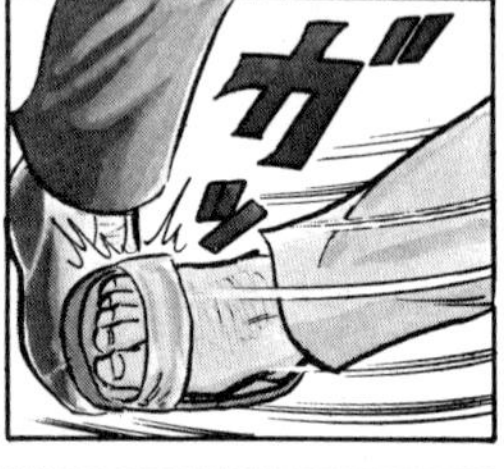
ガッ

ガチャ
うわっ!

両津!
やったなっ
え!?
なんの事だか
あっしには
さっぱり…!?

とぼけるん
じゃない!
うぷっ

元を ただせば
部長が
悪いんじゃ
ないすか!
がふっ

イタリアにきてまでそんなマネするな！日本の恥めっ
部長こそかわいい部下のおちゃめな行為にむきになって！

翌日の早朝
HOTEL

皆さん全員お集まりですね
あれ？もうひとりのお巡りさんは？

なんでも飛行機で直接ベニスへむかうとかで……
そうですか！
じゃあ皆さんバスにお乗りください
すぐ出発しますので………

★週刊少年ジャンプ1985年38号

ゴンドラのうたの巻

両さん 部長のグループはローマよりバスで北へ芸術の街 アッシジ花の都フィレンツェを観光し いよいよベニスへむかうのでした
ベネチア
アドリア海
リグリア海
フィレンツェ
アッシジ
ローマ

ゴオオオッ

飛行機の次は長距離バスか…乗り物ばかりで目まいがしてきた
両津 みろ! みえてきたぞ!

あれがベニスの町だ!

ゴンドラの
うたの巻

バスでの長旅
お疲れ様でした
これから
水上タクシーで
ホテルへ
むかいます
TAXI MOTOSCAFI

バスの次は
船かよ!
陸海空すべて
制覇して
しまったよ
くそ!

タダで
旅行にきてる
分際で
文句ばかり
いうな!
パコッ
いてっ

ババババ…

町中　あちこち
川だらけじゃ
ないか
ドドドド

昔は海洋大国
でしたから
町中　運河が
はりめぐら
されてるの
ですよ
交通は
すべて　船に
たよっている
わけなんです

おっと
止まった
ぞ……
ブロロロ…

ドドド

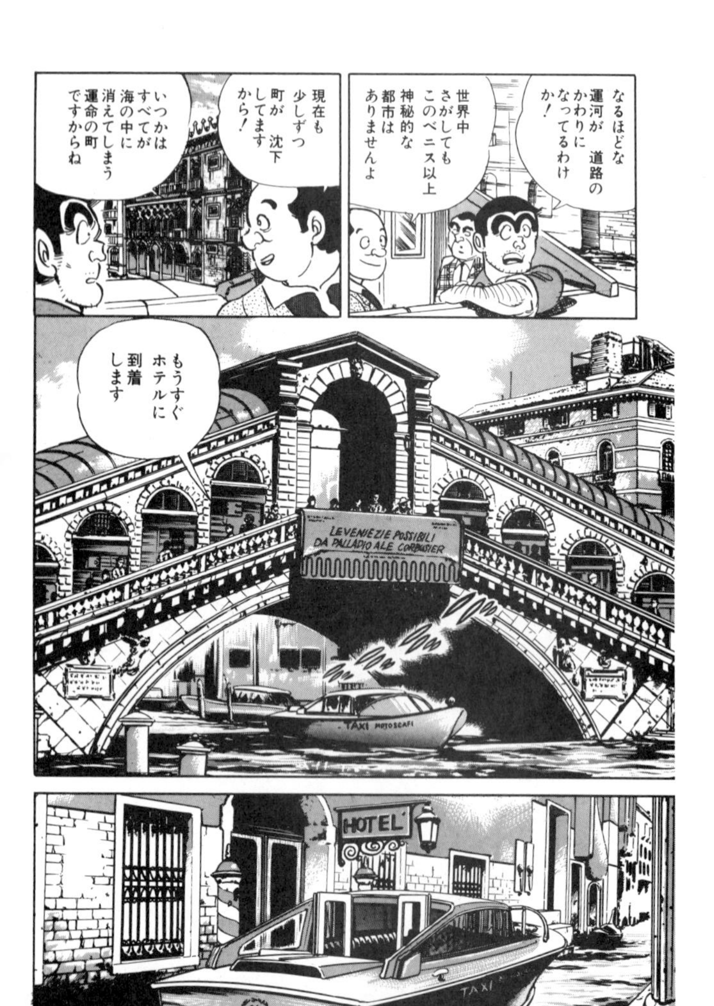

なるほどな 運河が 道路の かわりに なってるわけ か!
世界中 さがしても このベニス以上 神秘的な 都市は ありませんよ
現在も 少しずつ 町が 沈下 してます から!
いつかは すべてが 海の中に 消えてしまう 運命の町 ですからね
もうすぐ ホテルに 到着 します
LEVENIEZIE POSSIBILI DA PALLADIO ALE CORBUSIER
TAXI MOTOSCAFI
HOTEL
TAXI

暑いな！このホテルもクーラーがついてないのか！
下は運河か！いい景色だな！

さあてと一発風呂にでも入って……
両津！観光にいくぞ！

えっ部長は入らないんですか？
風呂などあとだ！早くこい！

まいったな中年パワーがでてきたぞ！
ロウソクの最後の派手なともしびだな！

今なんといった!?
いえ！なんにもさあいきましょう

今度はこのポーズでとってくれ!
さっきから写真ばかりじゃないすか写真集でもだすつもりですか?部長!
カシャ

ベニスの名物ゴンドラに乗った写真もほしいな!
私もぜひ乗りたい!
だれもいないぞ食事にでもいったのかな!?
あそこにいる連中じゃないすか?
まったくさぼってやがってイタリア人気質だな
あっしがちょっくら話つけてきます!

聞いていると日本語しか話してないようだな…
ゴンドラだよ!わかるか
乗るの!わかる?

勝手に乗っちゃっていいみたいですよ!ゴンドラ
まさか!本当か!?

おまえゴンドラを動かせるのか!?
タッ
こういう事は私大得意!

あらよっと!

パチパチ
ピーピー
ははは よう!うまいもんだろ!

ペラペラ
おっ服も貸してくれるのか?

両津！なかなか似あうぞ！
部長サインペン貸してくださいよ
どうするんだ
本当!?本職みたい!?
ヒゲをかくと余計リアルでしょうボンジョールノ！
気味悪いくらいイタリア人にそっくりだ！
あっしがベニスを案内しますよ部長！
ギイ
ギイ
うむたのんだぞ
つれてえ逃げてよォ〜〜
矢切のわたァ〜しとくらあ
ぐわっ

しゃがまないと
通れんな
このあたり
は！
ぐおっ

なんと
低い橋だ！
あーいて！
ちくしょう！
しっかり
せんか！
まったく

バカ者
人の家に
入るんじゃ
ない！
インスタント
船頭だから
多少は
がまん！
がまん！

おっ！
日本人の
ギャルだ！
さすが
金持ち
ギャルだ

ハアーイ
あっ
ゴンドラ
よ！
素敵！

乗ってみましょうよね！えーと…
どうぞどうぞ

まあ日本語上手なイタリアの方ね！

ははははお嬢さん上手もなにもこいつは日本……

オーそみませーん！

わたーしパンチョガブリエルいいまーすどーぞー乗ってくださーい
おいくらですか？

タ－ダね！わたーしジャパンギャル大好きでーす！
本当！うれしい！

そこーのおじさーんちょっとむこーいってくださーい
どーぞーどーぞー
コーコー

すいません
相乗り
させて
いただいて！
いえ
かまいま
せーんよ
そこの人
もうすぐ
おります
からね！
おじょーさん
ニッポンの
どこから
きました？
東京です
浅草という
ところに
住んでるん
です
オーッ
アサクサ
しってる
よー
わたーし
ニッポンへ
旅行いった時
アサクサ
いったね！
本当！
伝法院通りの
大黒屋のテンプラ
オイシーネ！
暮六ツも
なかなか
シブくて
いーね
へえーっ
くわしい
わね
あいたっ
ガン
ガガーン
くわしいも
なにも
そいつの
生まれが……

何するんだこら!
つきまーしたここお客さんのホテル

え!? ホテル?
そう! お客さんはこのホテルにお泊まりでしょついたので降りてくださーい

間ちがえちゃ困るなセニョール
大運河を100回まわってからホテルへいく約束だったじゃないか

そ…そーでしたね! はははは
あと8時間はたっぷりかかるね

え!? おじさま警察官なの心強いわ!
おひとりで今回の旅行にいらしたのですか?

いや もうひとりバカな男ときたのだよすごいバカでなホテルの中を裸で走り回るんだ!

お客さーんお尻にガムがついてまーす
えっ

そんな事
ないと
思うが……
スッ

きゃあ
──っ

さあ
時間が
ないから
急ぎま
しょう!
お巡りさんが
落ちたわ!!

落ちたわよ
あそこ!
え──っ
なんですかァ
全然聞こえ
ましぇ〜ん

なーみーだ〜の
リクエースト
ってかあ!

くそっ
卑劣な
手を!!

すごい！上手ね！
わたしニッポン大好きあるよポコペン
おやなんだ！
パトカーか!?
うわっ
きゃあ——っ
POLIZIA
てめえ気イつけろ！
あぶねえだろうが！バカやろう
どうもありがとうおかげで楽しかったわ！
なーに喜んでもらえればこっちもうれしいでーす
あ——っと!!
つい！北部イタリアなまりがでてしまったほほほ！

日本に帰ったら手紙を必ずだします
グラッツェフジヤマの絵ハガキをおねがいしまーす

すいませんが住所教えてください
ハイ　ハイ台東区千東一丁目……

いやあーっ今のはギャグでーす受けたかな!?
ピシッ
本当におもしろい人ね
キャキャ

住所はイタリアコンマ市ベニス町7丁目アンジリコ・ロドリゲスです
それで届くのですか?
名前もさっきとちがう

いやあギャルと思わず楽しい一日を過ごしてしまったな!
中年部長と毎日顔をつきあわしてたんじゃ死んじまうよ

ボンジョールノ!
オーボンジョールノ

地元のやつが仲間と思って声かけてきやがった
みわけがつかぬほどそんなにイタリア人に似てるのか?
ミャ

ペラ
ペラ
えっ ゴンドラか!?

なに!? リド島？ アドリア海か だめだよ 遠すぎる

ペラ ペラ
ん!? 金？

ちょっと待て！ 50万リラというと…… 100リラ14円で………
えーと…… 日本円で7万……
カリ カリ

いいでしょう いきます！
リド島でも シシリー島でも!!

日が長いから暗くなるまでにはもどってこられるだろ！

娘船頭さんはよォ〜〜〜
船で〜〜〜 い〜く〜〜と きたもんだ

★週刊少年ジャンプ1985年39号

の巻
両津画伯

ツアー地獄(じごく)！
ガンコ徹60年!!

全員
カメラの方に
むいて
ください
は〜〜い
とります
カシャッ
1985 9 1 NOTRE-DAME DE PARIS

はい
ご苦労さま
写真は
ホテルの方に
お届け
しますから
いやあ
部長
いよいよ
パリですね
ガヤ
ガヤ
ガヤ
ガヤ

カフェに
お茶でも
飲みに
いきましょうよ
いいな

ちょっと
自由行動は
まだです
スケジュールが
ありますから
えっ

昼食後　バスで
モンマルトルの丘
サクレクール大寺院
ピガール広場
ルーブル美術館
コンコルド広場
チュイルリー庭園
凱旋門　印象派美術館
3時に免税ショップへ
行き　その後
マドレーヌ寺院　オペラ座
リュクサンブール公園
ロダン美術館……
ホテル到着は
6時を　予定して
おります
おい　おい！
それ今日一日で
回るのかよ
ヨーロッパ
旅行は
時間との
戦いと
いったでしょう
皆さん
たっぷりたべて
体力をつけて
おいて
ください
モグ
モグ
本当に
その方が
よさそうだ

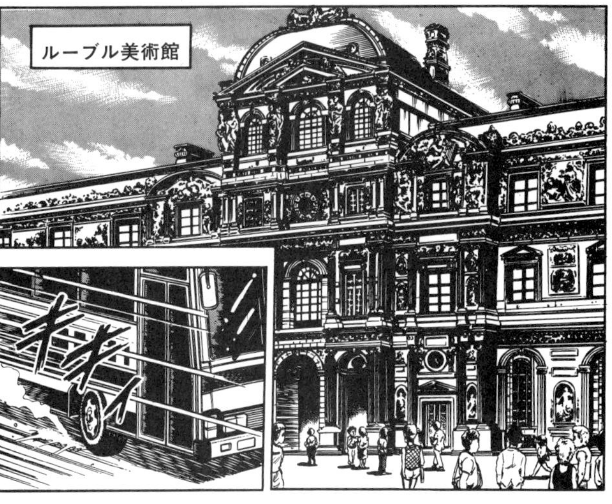
ルーブル美術館
キキィ

モンマルトルの丘で
おひとり迷子に
なってしまい
大切な時間を
20分もオーバーして
しまいました
そのため
この美術館を
10分間で見学
しますので
ご了承ください

ふつうに
見学して
4日かかると
いわれるところを
10分で見学
しますから…
気を　ぬくと
落伍して
また　迷子に
なりますので
しっかり　私に
ついてきてください

全員
駆け足
うおおお！

これが
ミロのビーナス
だっけ？
けっして
立ち止まらない
でください！
5秒以上
みていては
いけません！
あとで
絵ハガキで
じっくり
みて
ください
！

部長
あれが
モナリザじゃ
ないですか
？
そんな物
みている
ヒマはない！
添乗員が
先に　いって
しまったぞ！

迷子になったら
大変だ
早くしろ！
忙しいな
まったく！

皆さん
全員
いますね！
それじゃ
バスに乗って
ください！
障害物
競争だよ
まるで！

いやあ
間にあって
よかった…
美術館で
何を
みたのか
さっぱり
わからん！

DUTYFREE
免税ショップ
免税
日本語でどうぞ

ここが
免税
ショップです
なるほど
いっぱい
あるなあ
GUCCI
CELINE

ここでの制限時間は一時間です
一秒の遅れでもバスは待ちませんので注意してください
用意スタート!!
まるで「オリエンタルがっちり買いましょう」だな……
思わず「そこでマースカレー2個買います」といってしまいそうだよ
部長! 何か買うんですか!?
署長や次長におみやげを買っていかんとな……
あんなもん別に気にする事ないですよ
おまえのようなわけにいかんのだ
とは いってもブランド物は高いな! みんな2万円以上か…
全部で15人もいるからな予算オーバーだ!
全員絵ハガキ一枚ずつでいいじゃないですか
おまえは黙っていろ!

1流ブランドベルト
大特価
300フラン⇨100フラン
おっ
これなら
予算が
あうぞ

ドドド
うわっ

他の団体客
ですよ
だんだん
増えてきた
!
ブランドベル
大特価
300フラン⇨100
あーっ
一本も
残ってない
!

私のツアーの
皆様
残り時間
あと20分です
なんと!
まだ何ひとつ
買ってないぞ
!

部長は
決断力が弱い!
私が
協力しましょう
まずは
だれです?
署長と
次長　課長
この3人から
だな……

3人とも
パリ名物
エッフェル塔の
文鎮で
きまり!
はい　次は!!
PARIS
PARIS

遠足の
みやげじゃ
ないんだぞ
そんな物!
何いってるんです!
凱旋門の上に
エッフェル塔が
建ってる
文鎮なんて
なみのセンスじゃ
ありませんよ!
このダサッぽい
感覚が
ナウいじゃ
ないすか!
PARIS
PARIS

おまけに
一個30フラン
の安さ!
最高ですよ
次は?
署の
警らの
連中が
8人だ!

世界の
若者にバカ受け
このキーホルダー
にきまり!!
ひとつ
10フラン!!
ジャラ

日本語の
キーホルダー
か!?
オリエンタル
ムードが
たっぷりです
日本じゃ手に
入りませんよ
絶対!

日本の
観光地で
みたような
気がするが
……
時間が
ないから
急いで
ください
次は!

あとは派出所の
連中だ
中川 麗子
寺井 戸塚の
4人
身内の
やつらか
うーむ
よし!

ズバリ
トーテム
ポールの
栓抜き!
今 これが
静かな
大ブーム

ヨーロッパみやげ
というより
アメリカみやげ
みたいだな
そこが
いいんですよ!
通の人がみれば
すぐ わかり
ますから!

おっ こいつぁ
フランス名物
トーテムポールの
栓抜きだネ!
イキだね!
っといわれ
ますよ
ウソっ
ぽいな!

別に信じて
もらえなくても
いいすよ
あと残り5分
ですけど…
そうだった
これを 早く
包んでくれ
!

両津
急げ!
バスに
おいて
いかれる
ぞ!
ますます
混んで
きたな!

うおっ
いて!

みんな
同じバスじゃ
ないか!?
パリ中の
日本人観光
バスが 集合
しちゃった
みたいですよ

わしらの
バスを捜せ
残りあと
30秒だ!
おーい
バス!
どこだあ

キイッ

み…皆さんお疲れさま…ホ ホテルにつきました…
スケジュールをつめこみすぎだぞほとんど走ってばかりで写真もとるヒマない!

あ…あすは4時起床でベルサイユ宮殿を見学して9時の飛行機で日本へむかい…ます…
あと一日!くれぐれも気を 抜かないようにお願いします!
ヨロ…

私の部屋は909号室ですよろしく
うむ!さすがプロフェッショナルだ!

部長私たちも部屋にいきましょう
もう少し休ませてくれ!

えっ日本食がたべたい!?
だって7時からフランス料理の高級ディナーがでるんですよ
もう洋食はたくさんだ!白いごはんとつけものがたべたい!

せっかくフランスにきたんですから高級フランス料理をたべましょうよ
いらん！日本料理でなけりゃたべんぞ！
まったくわがままなんだから！子どもといっしょだよ
わしはフランス料理たべたかったのに！くそ!!
909
コンコン
日本料理の店？ここに住所かいてありますからご自由にいってくださ～～い
ひとりになると完全に気を抜いているんだねあんた……
ガチャ
デレ～～
RAFAI
METRO

日本料理 日本一
JAPANESE RESTAURANT SUSHI
日本一
RE PORT

つりはいらねえよサンキュー
メルシィ
やった！日本食だ！

あっしもアメリカで日本料理たべたけどけっこう高いすよ
多少高くてもかまわんよ早く入ろう!
ガラ

高くてもかまわん
高くてもかまわん
カチカチ
カチカチ
カチカチ
ピーッ

いらっしゃいおふたりさん!
おお中は日本とかわらんなあ
へーい!

部長お先にすわっててください
うむ

ちょっとメニューみせてくれる
はいどうぞ

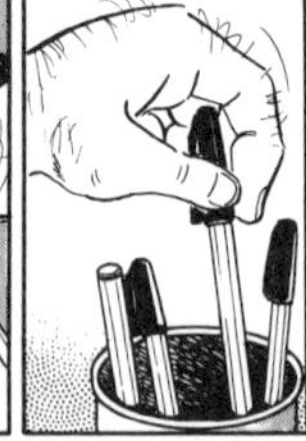

50
300
10
汁 10
うな丼 100
かつ丼 40

にぎり一人前と冷奴　みそ汁あと酒とつまみをもらおうか……
はいわかりました!

わしは注文したぞ両津も好きな物をたべなさい
どうもすみませんね!

えーと何がいいかな
うな丼と天プラと酒でいいかな
ピタ

はい注文は以上ですね
あとで追加するかもしれないからメニューおいといてね
トン

いやあ旅行へきて初めての日本食だ楽しみだな
やはり日本人は日本食が一番ですよ

思ったより高くないじゃないかこの店!!
そうですねみそ汁が3千円ですからね!
ゴシ
ゴシ

ピクッ

今なんといった!?
みそ汁が3千円!ちゃんとかいてありますよ　ほら

一フラン30円で計算してくださいよ ちゃんと！
冷奴5千円 にぎり寿司2万円 うな丼3万円 天プラ2万円 ちゃんとかいてあるでしょう
本当だ さ さっきはもっと安いと思ったのに…
疲れてるんですよ 部長！長旅ですから

まっ にぎり寿司2万円ってのは妥当なところじゃないすか！アメリカじゃ5万円もとられたから…
そ そうか 本当に外国の日本料理は安くないな…
はい おまち！どうぞ

10個だと ひとつが2千円になるのか………
どうかしましたか！先にたべてていいですよ
そ そうだな うん たべるか………
外国でたべる日本料理はじつにおいしいですなあ 部長！
う…うむ ちょっと胸がいっぱいで！あまり食欲が……
あとで 私が支払いしてきますよ

AGFA
ちょっとお茶でも飲んでいくか………
いいすねじゃこの店に!
Fouquet's
明日の午後は飛行機の中か今夜がヨーロッパ最後の夜だな
長かったようで短かったですねこの8日間!

まさか両津といっしょにヨーロッパへくるとは思わなかったがな……
ちぇっやっぱおじゃま虫か!

しかしおまえもよくやってくれたよおかげでいい旅だった

いやあそれほどでもありませんよはははは

これはわしからのこづかいだとっておけ

その金で両親にみやげでも買っていけよろこぶぞ!
ぶ…部長!
じ〜ん

連れてきてもらった上におこづかいまで……うっ感激です
おーい
おお!!
おーい!!
1 2 3
3万か! しけてやがるな

こんないい上司をもってなんて自分はしあわせなんだろう うう………警官になってよかったなあ ううう……
こら こら 人前で泣くんじゃない

やだ──っ ベニスで会ったお巡りさんよ!
おおっ きみたちか!
PARIS

あっ この人は!?
ボンジョルノ セニョリータ

再会を祝してカンパーイ
よし 乾杯だ!
いやあ パリでの最後の夜にギャルといっしょに酒のめてうれしいねえ

わしの部下だ そいつも警官だよ
やっぱりそうだったの もう〜!

ほう きみたちは きのうパリに きたのか…
そうなの 明日 イギリスへ いって そこから 日本へ 帰るんです
きのうは 日本料理 たべに いったのよ ね！
そう お寿司屋 さんに！
ブブッ
そりゃ 偶然だ わしたちも さっききたべた ところだ
部長 凱旋門が すごく きれい！ みてください ほら！
しかし 日本料理は 高くてな…
そんな事 ないです よ！
部長！ あそこに シトロエンが 走ってますよ ほら！ ほら！
バババ
寿司屋に ふたりで 入って 10万円も とられたが…
まさか 私たち ふたりで 一万円よね
さあてと！ シャンゼリゼ でも 散歩して くるかな!!
ギュッ
ちょっと まて！ こらっ
部長 私たちが 入った寿司屋は 超高級店 ですよ!!
このギャル たちは 安い店に 入ったんですよ!!
ゴホ ゴホ
そんな事 ないわよ 「日本一」って パリじゃ有名な 日本料理店よ
わしらが 入ったところと 同じ名だぞ
そ そうでしたっ け!?

★週刊少年ジャンプ1985年40号

思い出のパリの巻
なに 飛行機が 飛ばない だと!?

航空会社が 時限ストに 入ってしまったの ですよ だから 出発時間が 5時間ほど 遅れます
勝手に 予定変える んじゃない!

そうと分ってれば 朝3時起きで あわてて ベルサイユ観光など いかなくても よかったのに…
ふあ
出発時間まで ホテルで 寝てよう
部長 あいた時間を 利用して パリ市内を みてきま しょう
なに!?

パリの巻
Gerson
TOUTE
IA DECORANOW
BU VETEMENT
両津
疲れたから
少し 休んで
いこう
LA MOC
PLEIN S

さっき
休んだ
ばかりで
しょうが！
もう
疲れて
歩けんよ

はい はい
わかり
ましたよ

思い出の
STELLA

あと2時間ほどで日本へ帰ってしまうんですよ私たちは!
もう二度とパリへこないかもしれない!だからちゃんと残しておかないと!
ちゃんと景色はカメラにおさめたぞ
ちがうちがう

写真を とり ショッピングを して 高級料理を たべる それは 女がやる 旅行のパターン でしょうが
じゃあ どうするんだ!?

刻みつけるんですよ
男の旅っては!!

刻みつけると いっても このような事を するわけじゃ ないですよ
これは アホの する事!

ここですよ ハートに しっかりと 刻む!
旅に出て 男は ひと回り 大きくなって 帰ってこなきゃ いけない!

私が アメリカ 一か月の旅を 終えて帰って きた時 大きくみえた でしょう
たしかに そうだ! 体重も 5キロ太ったと いってたものな

そう! 肉が おいしくて バクバク くってた から……
ちがうでしょ 外見じゃ なくて 中身の事 ですよ!

日常を離れ おのれをみつめ直す また 見聞を広め 旅のひとつひとつの 出会いに 人生を思う…
旅にきて ホテルでゴロゴロ してたり 休んでばかり いるなど 愚の骨頂です
AYACHE

あと1時間40分ありますもう一ヵ所観光にいけます
さすが旅なれてるだけはあるな!
バサ
バサ

セーヌ川を船で下るというのはどうかな!?
くっだらないどうして部長はそう俗っぽいんですか!

ここにしましょう!
HÔTEL HILTON
TOUR EIFFEL
AVENUE

高いところは気持ちいいなこりゃあすごい!
こんなところで見聞が広がるのか?

もちろん世の中が広くみえるでしょ!
あっもう時間だぞ

すぐ　時間　時間と騒ぐんだから……心に余裕をもってください
遅れたら大変だからな………
おや？エレベーターで何か　あったのか？
ガヤ
ガヤ
壊れたらしいですよ　今　下で係員をよんでるところです
なんだって!?
ガヤ
ガヤ
両津!!どうするんだ時間がないぞ！
ふーむこれはまいりましたね
よろしい時間がないので多少手荒いが………
鉄骨をつたって降りる事にしましょう
みつかったらおこられるぞ！

あとはタクシー拾ってホテルカードをみせればすぐつきますよ
さすが外国ではたよりになる男だ!

全然止まってくれないな!
ここも強引な方法でいきましょう

ストップ!!
ザッ

さあ 部長早いとこ乗ってくださいうちに!
強引すぎるぞ加減しろ!

ブロロロ
パパー

こりゃ だめだ ビッシリと つまってて 動く気配が ないですよ
しかし 歩いて いくわけには!

とにかく おりるしか ないですな! 運ちゃん おあいそ してくれ!
どうする 気だ!?

METRO
METRO
地下鉄を 使ったら どうだ!? 両津
地図に駅が かいてないんすよ パリの地下鉄は ゴチャゴチャ してるから 迷ったら 最後ですよ

ホテルまで あと 10キロ くらいに 近づいたの ですがね
なんとかしろ! あと15分しか ないんだぞ!

ん?

そうだ 部長 自転車一台 買ってください よ!
BICYCLE SHOP
なんだと!?

ホテルの場所はわかったし
脚力には自信がありますから!
カチャ
本当に15分以内につくのか?
しっかりとつかまっててくださいよ!
ブン
うおおおおおおお
ビューン
キキキキ

どうです
13分で
到着
しました
!
まさか
もう 出発
したのじゃ
あるまいな
!
ガチャ
ダッ

おお!
よかった
間に
あった!
あっ

また 1時間
延びました
ゆっくりしてて
ください!
ズズ

なんて
いい加減
なんだ!!
まったくだ
時間厳守の
堅物・部長が
パニックに
なるだろ!

1時間で
また どこか
見物して
きましょうよ
もういい!
自由行動は
心臓に悪い!
ここに いる

集合時間まで
荷物のチェックを
してた方がいい
1時間など
すぐたつ
ちぇっ
つまんない
の!

パスポートや
入国書類
もってるのか?
調べてみろ
もって
ますよ
ここに!

団体行動なんだからなひとりでもミスをすると迷惑が…あれ？
おかしいな！

おまえにパスポートあずけなかったか…？
いいえどうして？

ない！わしのパスポートがなくなってる！
えっ!?

よくさがしてくださいよあれがないと帰国できませんよ
そ それはもう十分わかってますおかしいな！
パスポートでてこなかったらどうなるんだ？
パリの日本領事館から日本に再交付を要請するんです2週間パリでひとりで待つ事になりますね

両津それわしのじゃないだろうな
ちゃんと私のですよほら！

両津がなくなるのならわかるがなんでき帳面なわしのがなくなるんだ！
部長そりゃ偏見ですよ

セーフティボックスにあずけたのじゃないですか?
朝出してずっとバッグの中に入れたはずなんだが…

バッグから落としたんじゃないですか? カメラ出し入れしてたから…
そ…その可能性があるな……

あきらめるしかないですよ! 部長だけパリに残ってあとから帰国という事に……
他人事だと思って簡単にいうな!

おまえのパスポートをよこせ! わしの写真貼って わしが使う!
何血迷った事いってるんですか!! だめ! これは私の物!!

おちついて! パスポートは本人しか使えないいんです!
まったくもうすぐパニックになるんだから

部長もう 一度冷静に考えてください 朝 出発の時まで持ってたんでしょう?
その後 外出してバッグあけた場所覚えてますか? 落とす場所はそこしか ないいんですから
コックリ

ひとりで 残るといっても日本人駐在員がいますから私が 今 連絡してきます!
いよいよ残るのかあ……
ペタン

あれ？
部長!?
聞こえてますか？
部長〜〜〜っ

だめだこりゃ
完全に頭がパニックしている
ボー
大原さーん

しっかりしてください部長！
ふら〜〜
手続きがありますからこちらへ…

まったく平へい凡ぼんと育ったからアクシデントに弱いなァ
わしなど人生アクシデントだらけだから全然平気だよ

物事すべて悲観的に考えるタチだからな部長は！
パリに2週間もいられるなんて最高じゃん！

カフェでお茶飲んでのんびり暮らしたいよ
いいチャンスじゃないかまったく
ん！なんだ？

なんだよわしのパスポートか……

ん？あれ？

げっ

バッグが
いっぱいで
荷物が
入らんぞ!
時間が
ないすよ
部長
ふあぁ

ちょっと
これ
もっていて
くれ
はい
はい
TOILET

あの時だ
!!

サイフを
しまうクセで
つい ねぼけて
ポケットに入れて
しまったんだ…
部長も
早朝で
あわただしくて
忘れているんだ……
きっと………

やばい事に
なったな……
「私がもってました」
なんて 笑顔で
いったら
殺されかね
ないぞ……
かといって
渡さないと
部長だけ
パリに残る
事に………

両津
さん!
ぎゃあ!!

ど
どうしたん
ですか?
いいえ
ちょっと
テノールの
発声練習
を!

午前中の
でかけた
場所を
ききたいの
ですけど…
は はい
いいです
とも!

あっ
あんな
ところに
アラン
ドロンが!!
えっ

ポト

いないじゃ
ないですか
!
おかしいな
きっと
かくれたん
ですよ

部長の
パスポート
が!!
な
なに!?

あ~~あ
こ こんな
ところに
!!

おおっ
わしの
パスポート
!!
よかった
ですね
部長~~っ

よく
あんなところに
入ってたのが
みえました
ね!
そ そりゃ
もう 目は
2.5ですから
壁のむこう
だろうと
わかります

ずん
両津
KANKI

昔っから物捜すのはうまいんですよ　ははは
両津
おまえのパスポートあるか?

もちろんですよ　ちゃんとここに!
パ
ッ

今　ふと……思い出したが　けさ　わしのパスポート　おまえにあずけなかったか?
な　何いうんです
部長のはそこにおちていて今　発見したんじゃないですか!

おまえのパスポートをみてみろ!
どうして?ちゃんと…私の物…

悪ふざけにもほどがあるぞ　パスポートを隠すなんて!!
誤解です!本当に　今出てきたんですよ~~~っ
パコ
パカ
パカ
ウソを　つけ　許さんぞ　こいつ!

あ　あの　これがおちてたやつでした　はい!
おかしいな　いつすりかわったのかな?

というわけで 数かずの
エピソードが くり広げられた
ヨーロッパ旅行も幕となり
機は 派出所の待つ日本へと
むかうのであった

新東京国際空港

部長お帰りなさい!!
おうむかえにきてくれたのか!
DUTYFREE

10日間留守したが派出所はかわりはないか!
ふたりがいないから火の消えたようにさみしかったですよ!
本田くんずっとあそびにきていてくれたのよ

あれ先輩は?
なんでもみやげを買いすぎて課税手続きをしてるらしい……あとからくるだろ!

それにしても日本がやはり一番いいな! ははは
そういうと思いましたよ

動物・小包検査場のような所
ゴゴゴゴ
クワンクワン
おや今度はゴリラだとよ
あんな物わざわざ送るとはな！
ゴゴゴ
ゴリラ
GORIRA
キケン
大きなお世話だこのやろう
くわっ
ぎゃあーーっ

人間だったようだぞ！ちがうか!?
わからん!?気味が悪いな！
部長め〜〜〜っこんな運び方しやがってくそ!!もう二度といっしょに旅などしないぞ〜っ
危険物取扱い注意
さわらないで下さい
FRANCE
JAPAN

★週刊少年ジャンプ1985年41号

台風とふたり組の巻

ブロロロ

ジャキ

何作ってるんです!?
うおっ
ドキ

いきなり背後から声を かけるんじゃない!
部長かと思ってびっくりするだろ!

非番の時
作れば
いいのに！
バカモノ！
非番の時も
他にいろいろ
やる事があって
忙しいんだよ

だから
プラモ製作は
勤務時間の
合間を　ぬって
やる事に
しておる
時間は
大切に
使わないと
いかんぞ

しかし
勤務が……
事件が
なければ
何もする事
ないだろうが
ただ机に
すわってる
だけだろ！

麗子を　みろ
ここ二週間で
秋物セーターを
3枚も
あんだん
だぞ
女は
しっかり
している

この1か月
ボケーッと
立番してる間に
わしは　バイク5台
戦車1台
ラジコン1台を
製作したのだぞ
すごい

交番ってのは
お巡りさんが
中に入ってりゃ
いいわけよ
だから手と頭は
別行動してても
影響は　ない

などと
いっている
間に　またひとつ
完成して
しまった！
シャキッ

迫力あるだろ！ガバメントコンバージョンキットのドミネーターだ
もうモデル化したんですか!?

小型スターライトスコープと高性能螢光BB弾のコンビネーションで夜間射撃にばつぐんの命中精度を誇るわけよ
内部研磨軽量アルミバレルだぞ

そういえば先輩の拳銃にもスターライトスコープがついてますね
そうだよマニアから2本組み40万円で買ったんだよ

これさえあれば夜間パトロールも安心だろ！
おそろしいですね

じつはもっとすごい事も考えているんだ

サブマシンガンを…え…どうした？
まさか…？
そのまさか……!?

じょうだんはこのくらいにして仕事だ！さあーーっ仕事しよう！
勤務が何より大切だ！

あっ部長!?
いらしていたとは気づきませんでした
警察備品の拳銃をオモチャがわりにするとはあっぱれな根性してるな
いや!これはちょっと魔がさしてつい……

備品は国民の皆様の血税で買った大切な品ですからね!
この制服などもう 9年目ですよ!自転車なども15年も同じ物を使わさせていただいてます
なんだその箱は?
いえ!つまらん物です!
それより部長!今日のネクタイきまってますね
同じ支給品だろうが!

まったくなんでさぼってる時にタイミングよくくるんだろう
年中さぼってるからですよ
両津!明日留守番にいってくれんか
えっ留守番!?

田中さんが
旅行で家を
あけるんだ
ひと晩
泊まるだけで
いい!
私だって
予定が
あるんですよ

ヨーロッパ旅行
楽しかったか!?
ん…
両津!
ポン
え?
は
はい!

じゃあ
まかせたぞ
明日の昼に
いってくれ!
ぶ
部長!
それと
これとは……

免税ショップで
みやげに
レミーマルタン
買ってやったっけ
なあ!
もう
飲んだか?
はあ
その節は
本当に……

パリで寿司を
おごってやった
よな!
うまかった
ろう!
はあ
おいしかった
です!
高級な
エスカルゴも
2人前
たべたよな
おいし
かったです
最高の
旅だった
なあ
両津!
はあ
そりゃあ
もう!
留守番
してくれる
よな
は
はあ…

だめだ……
恩義という
強力な武器を
使われると
全面降伏
しかない…!
田中さんて
先輩の好きな
酒屋ですよ

本当か中川！
先輩のなじみの店ですよ！名前もしらないいんですか！

少しなら酒を 飲んでもいいといってたぞ
ほんと！いやあ心の広い店主だ！

部長もお人が 悪い 酒屋の留守番だとひとことといってくれれば……
あまり飲むなよ商売物なんだからな！

いやあ楽しい留守番になりそうだ
酒に囲まれてだったらなん日でもいられるよ

富沢商店
だるま屋食堂

ピンポーン 台風情報をおしらせします
ゴオーオオオ

この台風は
今夜半
関東地方に上陸
大型なので
十分な注意を
するようにとの
事です

まいったな
よりによって
台風に
なるとはな
!

まあ いいや
酒のんで
ねちまえば!
さあて
いくか!
風が強いから
気を つけて
くださいよ

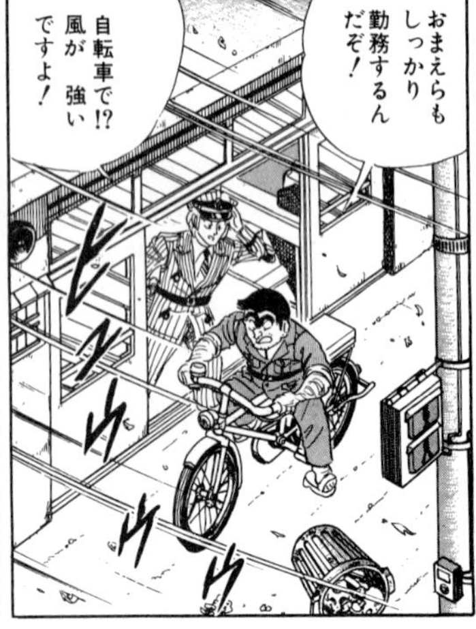
おまえらも
しっかり
勤務するん
だぞ!
自転車で!?
風が 強い
ですよ!

なんの風速
40メートル
ごときに
負けるか!
風と
力くらべだ
いくぞ!
キーコ
キーコ

すごい
むかい風を
ぐんぐんと
つき進んでる
わよ
なにせ
酒屋だからね
どんな事
あっても
いくよ

やっと着いたか
風が　ますます
強くなって
きたな
酒
めぞん松くん酒店

ガラガラ
やったあ
酒だあ

とりあえず
かけつけ
一杯やらねば
いただき
まーす!!

ありゃ
なんだ!?
ガキが
いるじゃ
ねえか!
4
ウイイン

父ちゃんと
母ちゃん
ふたりで
熱海へ
いっちゃったよ
とんでも
ねえ親だな
まったく
……
まあ　いいか！
おとなしそうな
ガキだし
放っとけば
いいだろ
えーと
コップは
……と
ガラッ
あっ
ちょお！
な　なんだ！
ここにも
いたのか！
やった
やったあ
弟が
いるのかよ
くそ！
ギイ
しゅ
わっち！
ゴキッ
どっか
あん！
こらっ
やめろ
おい！

いいかげんに
しろ!
ビタ
ギャアアン
いったい
兄弟なん人
いるんだ!
この家は!
全部で
5人だよ
5人?
あと
ひとりは
どこだ!
電子レンジ
の中!
そんな
ところで
遊ばすな!!
ぼく
長男の
一郎
二男の
二郎
三男の
三郎
四男の
四郎
そして
これが末っ子
の末吉
ガキの
めんどうまで
みなきゃ
いかんとは
だまされた
な!
ギャ
ドタ
名前が
そのまんまだな
いいかげんな
親だ!
ザザ
いよいよ
本格的な
嵐に
なって
きたな!

うひゃーっ
すごい雨
だあ!
ここで
少しの間
休んでいこう!
ザァァー

しかし
今日は
バッチリ
だったな!
200万円はかたい
旅行で
留守の家が
多いから!

おや
この酒屋
シャッターが
開くぞ
なんと
不用心な
………
ガラ

いきがけの
駄賃だ
ここも
いただいて
いくか!
そう
しましょ!
ガラガラ

男ひとりか…
これで
おどかせば
一発だぜ

ジャンピング
キック!!
ぎゃっ

こら なんて事するんだおまえ!

今日 酒屋休みなんだよ 明日 またきてくれ!
俺たちは客じゃねえ!

こういう者だぜ!
大変! 末吉がトイレに落ちた!!
なにっ
ドスッ

だから注意しろといったろ!
む… 無視された…

このあたりはくみとりトイレなんだぞ! ウンコまみれになっちゃっただろ
おう兄さんちょいとこっちをむきな!
びええ

ちょうどいい! こいつを洗ってきてくれ
うわっ きたねえ
びええ

風呂場そっちだからたのむぞ!
石けんつけてゴシゴシ洗ってよ!

いつ 金を かっぱらうんだよ! 兄貴
まあ まて! まだ チャンスは いくらでも ある!
ゴシ ゴシ
ひとり 手の あいてるの こっちへ こい!
え!?
ひええーっ こわいよう!
もっと しっかり おさえてろ! だらしない やつだな!
ビュウウウウ
ふう これで修理は よしと! どんな風でも 大丈夫だ
こども 洗ったか ご苦労!
ついでに これを 洗濯しといてくれ!
洗剤は 風呂場に おいてある たのんだぞ
水は 大切に
兄貴 金は いつ とるんだよ
まだ チャンスは ある! もう 少し 待て!

おじさん遊ぼうよ
グイ
むこうで遊ぼ!

しようがねえから遊んでやれよ!
し しかし…

おじさんたちと遊んでもらってるのかよかったな!
うん

悪いけど玉ネギ買ってきてくれよ
た…玉ネギ

カレーライス作ってるんだよ 金は あとで払うから早く!
は はい

なんでこんな事までしなきゃいけないんだ!
24

いただきまーす

おかわりはたくさんあるからな
うんおいしい
お母ちゃんより上手だよ！
あ…兄貴…
わかってるよまだチャンスはある！
ちがうよあれ！
ぶっ
ん!?どうかしたのか!?
いや別に…
ひょっとしておたく警察の方…!?
そうだよ！
今日はここの留守番にきたんだ
ところでおまえさんたち客じゃないといってたけどだれだっけ？
え！そのつまり…
そう！友人なんですここの主人の…
そうか釣り仲間だろ！酒屋のオヤジ釣り好きだからな
そうなんですよ
釣り仲間！

しかし　また なんで 台風の日に 訪ねて きたんだ?
台風の日は 川が　荒れて でかい魚が つれるんですよ なあ　おい!
そ　そう! シーラカンス とかね
なるほど わしは 釣りの事 わからんが そうなのか?
「嵐の日は 釣りに出ろ」 これが釣り仲間の 合ことばですよ
外は　嵐だ 今夜　泊まって いけよ な!
酒屋だから 酒は たっぷりと あるからな
いやあ どうも どうも
しかし お巡りさん 世の中 不公平だね
私も昔は マジメに働いた 時が　あったよ! しかし　生活が 全然よくなりゃ しないいんだよ!
ばかいっちゃ いかん! 背を　むけて 生きちゃだめだ! 男は　前むきに 進むもんだ
わしなど 公務員やって おるが いつだって 裸一貫だぞ
グチなど いう前に 世の中 自分で 変える気持ちが 大事だ!
この世に 男と生まれて 何かせにゃ 男の価値が ねえだろう
くくく まったく その通りだ

いつか 花咲く
時が くる
耐えるのも
男の度量の
ひとつだ!
こよいの
酒は 胸に
ジンとくる
ウウウ……

気に入った!
お巡りにも
あんたのような
人が いるとは
うれしいよ
!!
わっははは
そうか!
飲もう!
今夜は
飲みあかそう

ズキ
ズキ
うおーす
!

先輩
大手柄
ですよ!
たたくな
飲みすぎて
頭痛いん
だから!

こちら葛飾区亀有公園前派出所⑫(完)

★週刊少年ジャンプ1985年33号

解説エッセイ「両さんがいてくれて、本当によかった！」

赤木かん子（児童文学評論家）

お初にお目にかかります……。
今、これをお読みになってるみなさんの99パーセントは、私の名前などご存じではない……でしょうから——。
という者が栄えある『こち亀』の解説、なんぞを書かせてもらっちゃってもいいのかなぁ、とも思うけど、いいよね……へっへっ、頼まれたんだもん、嬉しいなぁ……。
私はですね、赤木かん子と申しまして、普段は子どもの本の紹介なんかしてゴハンを食べているのですが、去年（'96年）から今年にかけて〝アサヒシンブン〟で〝子どもと子どもの本に関するQ＆A〟というコラムを担当しておりました。
そのコラムは一般読者のみなさまから子どもの本に関する質問をつのり、それに答えるという形式だったのですが、その質問の一つが「六歳の男の子が『こち亀』ばかり読んでいますがどうしたらいいでしょう?」というものだったんです。
それが、まだたった六歳なのに『こち亀』読んでるうちに、出てくる漢字（ひらがなやカタカナはいうに及ばず、でしょう）ぜーんぶ読めるようになっちゃったんだって！
相当本の好きな、アタマの良い子だと思いません？
ほかの親がきいたら、よだれの出そうな話だ……なのにこの親御さんは心配してるわけ。
『こち亀』がマンガだから——。
そればっか、に集中してるから——。
でも、熱中してるのが岩波が出してるハードカバーの児童書……たとえば『リンドグレーン全集』とかだったら（ほら、『長くつ下のピッピ』とかが入ってるやつね）うーん、やっぱ、心配しないだろうな。
いそいそと、内心得意になるんじゃないかなーと思う。
ということは、やっぱりマンガだから……心配ってことになるのかな。
まーね、マンガなんて親がムキになって反対するから、かげでこっそり隠れて読むのがおもしろいんだ、ということもあるし、だからこっちもムキになって、イヤ、自由にさせてください、なんてマジメに説得するのもアホらしい……というのもありますが、質問には答えなければならないし、かといって放っとけば？　のひとことで終わらせるわけにもいかないし、マジメに一生懸命、これなら親も納得して〝安心！〟（そ、これが大事ね）してくれるかもしんないな－という答えをひねりだしたわけです。

といっても、それで〝安心〟してくれたかどうかは心もとない……けどね～～～。

この親御さんがそうかどうかはわからないけど（いいマンガですよっていわれたら安心する人かもしらんから）こういうこと聞く人ってたいてい問題はマンガじゃないんだよね。なんでもいいから悪者をみつけて、それを子どもに近づけないようにすれば、この子は安心なんだって、自分にいいきかせたいだけだったりするからさ。

いやあ、マジメに地道に生きてるとさ、ときどきいいこともあるね～、ホント。

その小さい小さいコラムを誰かが目にとめてくれて、それでこの解説をしてもいいことになったんですから。

でも恥ずかしいっちゃ、恥ずかしいよね。

だって、いまどき『ドラゴンボール』や『こち亀』を「いいよ～～～！」なんていうのって、あまりにもあたりまえすぎて、なにをいまさら……じゃない？

でも、日本は広かった……。

いまだにマンガをほめると、怒る人やイヤがる人、驚いたり喜んだりする人たちがいたからね〰〰。反響は結構……ありました。びっくり……。
モンダイは活字かマンガか……じゃなくて、中味がどれだけいいか、なのにさ。
というわけで『こち亀』の本のうしろであらためていうのもナンですが『こち亀』はおもしろい、優れたマンガです。
誰もがいうことでしょうが、本当に、よくパワーが落ちない……。
GIジョーあつめだってサバイバルゲームだってプリクラだって、エネルギーの低いとこでやったら〝おたく〟にしかならないところを、両さんはその巨大なエネルギーで、まるで血管にくっついた悪玉コレステロールを吹きとばしていくように、こっちのアタマのなかのいらないものを吹きとばしてってくれるんです。
一瞬クラッとしますが、そのあと爽快、元気になるんだ。
でもって、その快感がどこからくるのかですが、両さんはいつもわくわくしてる。楽しんでる。遊びたい、遊びたい、遊びたい、おもしろいことしたいって思ってるってとこなんだろうなって思うよ。
だって両さんって、いいガッコウ、いいカイシャ、セケンテイ……なんてもののためにはがんばらないもの。
だけど、イタズラするために必要だってことになったら、それこそ必死こいて勉強だってするじゃない。
両さんの動機は、いつだって〝だって、おもしろいだろ〟で、すっごく健全で解放されてて、一緒に遊びに連れてってもらうと（つまり読むとってことだけど）こっちまでつられて解放されて、とってもわくわくして楽しいの！
今の自分がしたいことではなくて、しなければならないっていわれることをしてる、だから呼吸してても楽しくない、毎日がわくわくしてない子どもたちにはさ、両さんは絶対に必要な人なのよ。
わくわくできる子どもたちにだって、両さんは最高のリーダーだしさ。
もちろん、そういうラクに呼吸できる、あー、生きててよかった、楽しいなっていう空気がまわりにあふれてて、毎晩、あしたは起きたらあの遊びの続きをしようって、わくわくしながら眠りにつける、そういう生活を実際にしてるほうが、紙の上の世界より何倍もいいに決まってるよ。
でもそういうものが実際になかったら……なんにもないよりかは、紙の上だけでもあるほうがず――――っとマシでしょ。
それを考えると両さんがいてくれて、本当によかった！
人をいじめてはいけません、なんて百万遍いうよりも、両さんがそんなつまんねえことやめてもっとおもしろいことして遊ぼうぜ、っていったほうが効くと思うもん。
両さんはここ二十年、日本の大いなる防波堤でした、と同時に前進する機関車でもありました。
次から次へ出てくる流行を楽しんで、パクリパクリ飲みこんで、オジサンオバサンにもわかるように解説してくれる、両さんは名人です。
両さんにコンピューターの手ほどきをしてもらった大人は多いでしょう。と同時に彼は子どもたちに、オジサンオバサンが子どもだった頃、今からちょっと昔……を解説する名人でもあります。
一種の文化の通訳……よね。
でもってまた、両さんのまわりにいるじいさんばあさんが、また元気なんだわ……。
両さんのじいちゃんなんて、完全に現役だもん。で、そのじいちゃんが持ってる一世紀に渡る文化も、秋本さんは実に上手にみせてくれる、というわけです。

うーん、うまいわ……。
私、ときどき口惜しいもん。
これが活字でできたらなって思うとこ、いーっぱいあるんだよね。
このほかにも、荒っぽくみえるけど顔の表情なんか、すんごく上手！　とかいいところはいっぱいあるんですけど、とりあえずはこのへんで失礼します。
そんなの、みんなとっくの昔に知ってるもんね〰。

掲載作品は集英社より刊行されたジャンプ・コミックス『こちら葛飾区亀有公園前派出所』第45巻（1987年3月）第46巻（同5月）第47巻（同8月）の中から、著者自らが精選して収録したものです。

集英社文庫〈コミック版〉月新刊 大好評発売中

夢幻の如く 7〈全8巻〉
本宮ひろ志

本能寺で死んだはずの織田信長。彼は奇跡の生還を遂げ、秀吉の前に現れた！　天下統一の夢を超えた信長の新たなる野望とは…!?

とっても！ラッキーマン 7 8〈全8巻〉
ガモウひろし

日本一ツイてない中学生・追手内洋一が、幸運の星から来たラッキーマンと合体すればツイてるヒーローに大変身！宇宙の悪に挑む！

こち亀文庫 17
秋本 治

前人未到のコミックス160巻を突破した長人気作『こち亀』が再び文庫で登場！笑いと興奮、そしてなつかしネタ満載の101巻からを収録！

浅田弘幸作品集2
眠兎〈全2巻〉
浅田弘幸

暗い過去を持つ二人の少年、空木眠兎と小泉時雨がお互いを意識し、ぶつかり合う！　浅田弘幸が描くコミック叙情詩、待望の文庫化!!

BADだねヨシオくん！
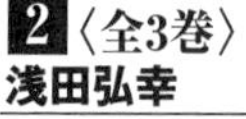
2〈全3巻〉
浅田弘幸

新たなライバル登場！　そしてヨシオの父の謎に迫るバトルＧＰ第２戦スタート!!　読切『しやわせ家族戦士プリチーバニー』も収録。

ラブホリック 5〈全5巻〉
宮川匡代

シゲルは食品メーカーで働くOL。口の悪い上司・朝比奈課長には怒られてばかり。でも最近、男として意識し始め!? 新世紀オフィスラブ!

花になれっ！ 9〈全9巻〉
宮城理子

地味な女子高生・ももは、ひょんな事から超イケメンな蘭丸の家で住み込みメイドをする事に。その上、蘭丸の手でキレイに変身して!?

ラブ♥モンスター 1〈全7巻〉
宮城理子

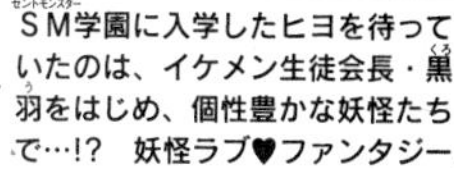
ＳＭ学園に入学したヒヨを待っていたのは、イケメン生徒会長・黒羽をはじめ、個性豊かな妖怪たちで…!?　妖怪ラブ♥ファンタジー。

谷川史子初恋読みきり選
ごきげんな日々
谷川史子

誰もが経験したことのある、初めての恋…。あの日に感じた、切なくて甘酸っぱい気持ちを鮮やかに描いた、珠玉の初恋読みきり選。

谷川史子片思い作品集
外はいい天気だよ
谷川史子

付き合っていても距離を感じる恋人同士…、一方通行な想いに悩む彼女など…。様々な片思いのかたちを繊細に綴った、片思い作品集。

JASRAC 出9703527-701

集英社文庫(コミック版)

こちら葛飾区亀有公園前派出所 12

1997年4月23日 第1刷
2009年7月31日 第8刷

定価はカバーに表示してあります。

著　者　秋本　治
発行者　太田富雄
発行所　株式会社 集英社
東京都千代田区一ツ橋2－5－10
〒101-8050
電話 03(3230)6251(編集部)
03(3230)6393(販売部)
03(3230)6080(読者係)

印　刷　図書印刷株式会社

ISBN4-08-617112-0 C0179